pasta

pasta

Marina Filippelli

marabout

Publié pour la première fois en Grande-Bretagne en 2008 sous le titre *Pasta*.

Traduit de l'anglais par Babelscope

© 2008 Octopus Publishing Group Ltd
© 2008 Marabout (Hachette Livre) pour la traduction et l'adaptation de la présente édition

Édition 05
Dépôt légal : Janvier 2011
ISBN : 978-2-501-05769-1
Codif : 40 4604 1
Imprimé en Espagne par Cayfosa

sommaire

introduction

Plat traditionnel italien, les pâtes ont été adoptées dans le monde entier. La raison de ce succès : les pâtes sont le plat pratique par excellence. Rapides et faciles à préparer, elles sont extrêmement variées grâce aux innombrables combinaisons de formes et de sauces possibles, et adaptées à toutes les occasions, du repas de tous les jours au dîner raffiné.

pâtes fraîches ou pâtes sèches

Une idée répandue consiste à croire que les pâtes fraîches seraient meilleures que les pâtes sèches. C'est faux. Les pâtes fraîches sont réservées à certaines formes et sauces bien particulières. C'est dans le centre et le nord de l'Italie qu'elles sont le plus consommées. Dans d'autres régions comme la Sicile, il se peut que des personnes consommant tous les jours des pâtes n'aient même jamais goûté de pâtes fraîches ! Sauf

indication contraire, les pâtes utilisées dans les recettes sont des pâtes sèches. Néanmoins, pour les pâtes farcies, préférez toujours les pâtes fraîches.

Acheter des pâtes fraîches en supermarché peut se révéler décevant. Texture collante et goût fade sont trop souvent au rendez-vous. Prenez le temps de vous rendre chez un bon traiteur italien, où les pâtes sont faites tous les jours, et où les meilleurs ingrédients sont sélectionnés pour leur préparation. Vous trouverez une recette traditionnelle de pâtes à base de farine et d'œufs à la page 10, et le dernier chapitre de ce livre (p. 216-235) est entièrement consacré à des recettes de pâtes maison.

Les pâtes sèches peuvent être préparées avec ou sans œufs, à base de farine de blé dur et/ou de froment. Il peut être difficile de s'y retrouver devant la multitude de formes et de marques proposées. Voici donc un petit guide pour vous aider à choisir la meilleure forme pour chaque sauce. En ce qui concerne le choix de la marque, nous recommandons les marques italiennes. Largement répandues, elles se démarquent résolument de la plupart des marques de supermarché grâce aux ingrédients et au savoir-faire mis en œuvre dans leur fabrication.

l'art de marier formes et sauces

Les Italiens ont des idées bien arrêtées sur la forme à utiliser avec telle ou telle sauce, mais qui tente de suivre une règle établie pour faire son choix rencontre une liste sans fin d'exceptions. La meilleure alliance, c'est celle qui vous plaît. Voici quelques suggestions.

sauces avec morceaux

Les pâtes creuses et crénelées, comme conchiglie, penne, rigatoni ou garganelli, ou encore les pâtes torsadées comme les fusilli, sont parfaites pour emprisonner les petits morceaux de la sauce. Vous pouvez également opter pour une forme longue de pâtes aux œufs, par exemple des pappardelle, tagliatelles ou fettuccine. La présence de l'œuf, qui rend les pâtes plus absorbantes, et la surface large aident les pâtes à mieux retenir la sauce. Avec des pâtes fines et longues, comme les spaghettis, les morceaux ont tendance à glisser. C'est pourquoi un Italien ne servirait jamais une sauce bolognaise avec des spaghettis !

sauces à la crème et au beurre

Les pâtes aux œufs se marient parfaitement avec les sauces à base de crème ou de beurre. Cependant, étant donné l'incroyable variété de ce type de sauces, elles seront tout aussi délicieuses avec la plupart des pâtes courtes, comme les farfalle, les fusilli ou les penne.

sauce à l'huile

C'est ici que les pâtes sèches au blé dur, de forme fine et longue, telles que les spaghettis ou les linguine, entrent en scène. Elles sont le complément parfait des sauces à la tomate, au poisson ou aux légumes, dont l'huile d'olive est l'ingrédient roi. Ces pâtes n'absorberont pas l'huile (comme le feraient des pâtes aux œufs), mais au contraire revêtiront un délicat enrobage de sauce onctueuse.

la cuisson parfaite

En suivant ces quelques recommandations simples, vous êtes sûr de réussir la cuisson parfaite, à chaque fois.

de l'eau en quantité

Faites cuire vos pâtes dans une très grande casserole d'eau bouillante salée. Elles auront alors toute la place pour se développer, et le mouvement créé par l'eau bouillante les empêchera de coller. Pour aider les pâtes à conserver leur forme et à bien se séparer les unes des autres, remuez-les brièvement à mi-cuisson. Assurez-vous de saler suffisamment l'eau de cuisson, pour que les pâtes ne soient pas fades, même avant l'ajout de la sauce.

al dente

Cette expression italienne indique le moment où les pâtes sont cuites. *Al dente* signifie littéralement « à la dent ». C'est-à-dire qu'en mordant dans une pâte, la consistance doit être souple en surface, mais encore un peu ferme au centre. Attention, les pâtes doivent tout de même être cuites : le centre ne doit pas rester cru, sec et blanc.

servir les pâtes

Les Italiens servent toujours les pâtes déjà mélangées à la sauce, et non une assiette de pâtes nature sur laquelle on ajoute une cuillerée de sauce. Ainsi, les pâtes sont enrobées avec juste ce qu'il faut de sauce. Un bon nombre des recettes de ce livre vous conseillent de réserver une partie de l'eau de cuisson des pâtes. Une fois les pâtes égouttées, mélangez-les à leur sauce sur le feu, et ajoutez un peu de cette eau de cuisson. En effet, en ajoutant un peu de cette eau, qui contient l'amidon des pâtes, et en mélangeant sur le feu, on aide les pâtes à mieux retenir la sauce, qui prend alors une consistance riche et onctueuse impossible à obtenir sans cette opération.

pâtes maison

Fabriquer soi-même ses pâtes est loin d'être insurmontable. Cependant, un peu de pratique est nécessaire pour se familiariser avec la recette. Évitez de préparer des pâtes pour la première fois si vous recevez des invités importants !

recette de base

Dans les recettes de ce livre, la quantité de pâtes indiquée est préparée avec 1, 2 ou 3 œufs. Vérifiez-bien la quantité nécessaire à la recette avant de préparer la pâte.

Ingrédients pour 1 œuf
Pour environ 150 g de pâtes
75 g de farine italienne 00 ou de farine de type 45 + un peu pour le plan de travail
25 g de semola di grano duro + un peu pour le plan de travail
1 œuf

Ingrédients pour 2 œufs
Pour environ 300 g de pâtes
150 g de farine italienne 00 ou de farine de type 45 + un peu pour le plan de travail
50 g de semola di grano duro + un peu pour le plan de travail
2 œufs

Ingrédients pour 3 œufs
Pour environ 400 g de pâtes
225 g de farine italienne 00 ou de farine de type 45 + un peu pour le plan de travail
75 g de semola di grano duro + un peu pour le plan de travail
3 œufs

Dans un saladier, mélangez la farine et la semoule. Creusez un puits au centre et cassez-y les œufs. Avec les doigts, amalgamez les œufs et la farine. Lorsque l'appareil devient trop dur à mélanger avec les doigts, malaxez de la paume de la main jusqu'à ce qu'il soit homogène. Vous pouvez aussi tout mixer au robot. Déposez la pâte sur un plan de travail propre fariné, et pétrissez-la 3 à 4 minutes jusqu'à ce qu'elle devienne souple et élastique. Enveloppez-la d'un film alimentaire et laissez-la reposer au frais entre 30 minutes et 4 heures.

étaler la pâte

Farinez le plan de travail. Préparez la machine à pâtes et réglez-la sur l'ouverture la plus large. Coupez la pâte en pâtons de la taille d'un citron et prenez-en un et maintenez les autres sous le film alimentaire. Donnez grossièrement au pâton une forme de rectangle puis passez-le dans la machine. Pliez la feuille obtenue en deux, et passez-la à nouveau dans la machine. Diminuez l'ouverture d'un cran et renouvelez l'opération.

Continuez à passer la feuille dans la machine en diminuant à chaque fois l'ouverture d'un cran jusqu'à atteindre l'ouverture la plus faible. Si, au cours de l'opération, la feuille devient trop longue pour être manipulée, coupez-la en deux, et traitez les deux parties l'une après l'autre. Farinez la pâte, si elle devient collante et attache à la machine.

Posez la feuille sur un plan de travail fariné à la semoule et recouvrez-la d'un torchon propre. Passez à la machine les pâtons restants. Une fois toutes vos feuilles étalées, procédez rapidement à la découpe pendant que la pâte est souple, car elle sèche très vite.

découper les pâtes

Découpez les feuilles de lasagnes à la taille du plat. Utilisez un gros couteau bien aiguisé ou une roulette dentelée. Pour les pappardelle, tagliatelles, fettuccine ou tagliarini, commencez par couper les feuilles en portions de 20 cm de longueur. Vous pouvez ensuite les passer dans l'accessoire de découpe fourni avec votre machine. La plupart des machines sont dotées d'un accessoire découpant des bandes d'environ 1 cm de large pour les fettuccine ou les tagliatelles, et de 5 mm pour les tagliarini.

Pour découper les pâtes à la main, farinez les feuilles de pâtes puis pliez-les en deux. Répétez l'opération deux fois. En utilisant un grand couteau bien aiguisé, découpez des bandes de 2,5 cm pour les pappardelle, de 1 cm pour les tagliatelles ou les fettuccine ou de 5 mm, opération délicate, pour les tagliarini.

Pour la découpe des pâtes farcies, voir les recettes correspondantes.

matériel

Quelques ustensiles sont essentiels, ou très utiles, pour cuire des pâtes ou fabriquer des pâtes et des gnocchis maison.

grande casserole

Il est impossible de cuire des pâtes convenablement dans une petite casserole ! Munissez-vous d'une grande casserole pour que les pâtes puissent virevolter dans l'eau bouillante.

passoire

Une fois les pâtes cuites *al dente*, égouttez-les le plus vite possible. Une passoire à pied sera bien plus pratique qu'une passoire à manche.

écumoire

Idéale pour retirer de la casserole les fragiles pâtes farcies ou les gnocchis, plutôt que de les égoutter. Elle est également utile pour servir les pâtes courtes.

pinces

Les pinces sont très pratiques pour remuer les pâtes longues dans leur sauce, et idéales pour les servir. À utiliser avec délicatesse avec des pâtes fraîches ou faites maison, plus fragiles, qui pourraient se déchirer.

roulette dentelée

Elle s'utilise pour découper les feuilles de pâte en lasagnes et/ou en raviolis. Cet accessoire n'est pas essentiel, mais facilite la tâche et ajoute une pointe de fantaisie grâce à son motif en zigzag.

moulin à légumes ou presse-purée

Cet outil est incontournable pour obtenir une purée légère, onctueuse et sans grumeaux, nécessaire à la préparation des gnocchi. Si vous ne faites pas très souvent des gnocchi, ces appareils bon marché vous serviront pour toute recette comprenant des ingrédients en purée.

machine à pâtes

Peu onéreuse, cette machine vous facilitera le travail pour étaler la pâte. Sans elle, l'étalage à la main à l'aide d'un rouleau à pâtisserie est plutôt fastidieux. Les accessoires qui l'accompagnent, servant à découper les fettuccine, tagliatelles ou taglierini vous feront également gagner beaucoup de temps.

ingrédients

Voici un petit guide des principaux ingrédients utilisés traditionnellement dans les plats de pâtes italiens.

huile d'olive

L'huile d'olive vierge extra est obtenue par la première pression à froid des olives. Sa saveur intense développe des notes poivrées, herbacées ou encore de noisette. Pour un meilleur résultat, utilisez de l'huile d'olive vierge extra pour assaisonner vos plats de pâtes. L'huile d'olive industrielle est moins chère à l'achat et conviendra pour cuisiner la sauce.

tomates

L'été, on trouve en Italie d'innombrables variétés de tomates, de la tomate oblongue très juteuse aux tomates cerises bien sucrées en passant par la tomate encore verte, mangée en salade. À chaque variété son utilisation de prédilection. Pour les sauces, c'est la tomate oblongue San Marzano qui remporte tous les suffrages. On la trouve le plus souvent en conserve, entière ou en dés. Il ne faut pas dédaigner les tomates en conserve de bonne qualité que les Italiens utilisent volontiers en hiver pour préparer la sauce tomate. D'ailleurs, il vaut bien mieux utiliser des tomates en conserve plutôt que ces tomates cultivées en serre, acides et qui ne sont jamais mûres ! La passata est un concentré de tomates cru et de consistance lisse, que l'on utilise pour cuisiner et que l'on trouve en bouteille ou en brique. Pour peler des tomates, mettez-les dans un récipient résistant à la chaleur et recouvrez-les d'eau bouillante 30 secondes, puis égouttez-les. Incisez-les à la base et retirez la peau.

fromages

Mozzarella Elle est fabriquée à base de lait de vache ou de lait de bufflonne *(mozzarella di bufala)*. La mozzarella au lait de vache est bien adaptée à la cuisine et à la cuisson, mais si vous voulez déguster votre mozzarella en salade, cela vaut la peine d'en acheter au lait de bufflonne, dont le goût est plus frais et plus crémeux. N'achetez que de la mozzarella conservée dans son petit-lait.

Parmesan Le *Parmigiano Reggiano* est un fromage à base de lait de vache fabriqué en Émilie-Romagne. Il est consommé râpé ou en copeaux avec des pâtes. Le *Grana Padano* ressemble au parmesan, mais il est beaucoup moins cher, et peut le remplacer en cuisine.

Pecorino Ce fromage au lait de brebis est originaire du centre et du sud de l'Italie. Il en existe différentes variétés qui peuvent être affinées pour une consommation telle quelle, ou vieillies jusqu'à obtenir un fromage sec et friable qui sera utilisé râpé en cuisine. Pour les recettes de ce livre, utilisez du pecorino sec, souvent appelé *Pecorino Romano*.

Ricotta Ce fromage maigre de consistance molle, est obtenu à partir du lactosérum, ou petit-lait, résidu de la fabrication du fromage. Le lactosérum est remis à chauffer, puis réparti en faisselles et égoutté. C'est de cette étape que de fromage tire son nom, *ricotta* signifiant « recuit ». La ricotta que l'on rencontre hors d'Italie est faite à base de lait de vache. C'est celle-ci que nous recommandons pour les recettes de ce livre.

Fontina Onctueux et homogène une fois fondu, ce fromage doux originaire du Piémont est idéal en cuisine.

Gorgonzola et dolcelatte Ces deux fromages bleus s'utilisent en sauces pour les pâtes. Le gorgonzola est le plus fort ; il peut être comparé à du roquefort ou du stilton. Le dolcelatte, bien plus crémeux, sert pour les sauces plus délicates.

Mascarpone Ce fromage est une crème très épaisse et très riche, à la saveur douce et à la consistance onctueuse.

jambons

Prosciutto est le terme générique en italien pour désigner le jambon. Le *prosciutto crudo* (jambon cru) est le plus connu des jambons italiens, la star étant le *prosciutto di Parma* (jambon de Parme). C'est un jambon cru qui est salé, puis séché et affiné. Le speck est un jambon fumé originaire de la frontière nord de l'Italie, au goût fumé prononcé. À défaut de speck, vous pouvez utiliser du jambon de la Forêt-Noire.

champignons

Les champignons des bois que l'on trouve le plus souvent en Italie sont les cèpes, les chanterelles et les girolles. Même à la pleine saison, en automne, les Italiens utilisent fréquemment des champignons séchés, qui doivent être trempés dans l'eau chaude avant d'être cuisinés. Les cèpes sont les plus appréciés. Pensez à utiliser l'eau dans laquelle auront trempé vos champignons : elle se sera imprégnée de leur saveur !

anchois

Ces petits poissons s'achètent frais ou conservés dans du sel ou de l'huile. Le goût des anchois salés est plus frais que celui des anchois à l'huile, mais ils doivent être rincés avant d'être consommés. Utilisez des filets d'anchois salés ou à l'huile plutôt que des anchois frais.

câpres

Les câpres sont de petits boutons de fleurs conservés dans du sel ou du vinaigre. Faites-les tremper dans de l'eau froide avant de les utiliser pour leur ôter leur fort goût salé ou l'acidité du vinaigre. Les petites câpres sont généralement plus savoureuses que les grosses.

farines

Les Italiens utilisent deux types de farine de froment : la farine de catégorie « 0 », semblable à de la farine de type 55, et la farine « 00 », plus fine, correspondant à la farine de type 45. C'est cette dernière qu'on utilise pour des pâtes fraîches. La farine « 00 » peut s'acheter chez un traiteur italien ou dans un supermarché. Autre farine souvent utilisée : la *semola di grano duro*, une farine de blé dur employée dans la fabrication du pain et des pâtes. Elle est plus fine que la semoule classique que l'on trouve en France, on la trouve dans les épiceries italiennes.

à chaque occasion son plat
Suggestions pour trouver le plat idéal...

pâtes express

dîners de tous les jours

en famille

chaleur et réconfort

grandes occasions

spécial santé

soupes & salades

minestrone d'automne

Pour **4 à 6 personnes**
Préparation **15 minutes**
Cuisson **55 minutes**

2 c. à s. d'**huile d'olive**
1 **oignon rouge** finement
  émincé
2 **carottes** coupées en dés
2 branches de **céleri**
  coupées en dés
1/2 bulbe de **fenouil** paré
  et finement tranché
2 gousses d'**ail** épluchées
150 ml de **vin blanc sec**
400 g de dés de **tomate**
  en boîte
1,2 l de **bouillon** de légumes
1 **pomme de terre** épluchée
  et coupée en dés
200 g de **haricots**
  cannellini (variété de
  haricot blanc) en boîte,
  égouttés et rincés
200 g de **cavolo nero**
  (chou noir toscan)
  ou de chou de Milan râpé
75 g de **petites pâtes**
  sèches
sel et **poivre noir**
pesto classique au basilic
  pour servir (voir p. 158)

Faites chauffer l'huile d'olive à feu doux dans une grande casserole à fond épais. Ajoutez l'oignon, les carottes, le céleri, le fenouil et l'ail, et laissez cuire 10 minutes en remuant de temps en temps. Versez le vin et portez à gros bouillons 2 minutes. Incorporez les tomates et le bouillon, et portez à ébullition, puis réduisez le feu et laissez mijoter 10 minutes.

Ajoutez la pomme de terre, les haricots et le chou, salez et poivrez, et faites cuire 20 minutes de plus jusqu'à ce que tous les légumes soient bien tendres.

Ajoutez les pâtes et laissez cuire en remuant fréquemment jusqu'à ce qu'elles soient *al dente*. Rectifiez l'assaisonnement et servez accompagné d'une généreuse cuillerée de pesto classique au basilic (voir p. 158).

Pour une préparation plus rapide, vous pouvez utiliser un pesto tout fait de bonne qualité. Pour varier les parfums, essayez le pesto de roquette poivrée ou, pour une soupe plus corsée au goût de tomate plus prononcé, un pesto rouge.

minestrone de printemps

Pour **4 à 6 personnes**
Préparation **15 minutes**
Cuisson **55 minutes**

2 c. à s. d'**huile d'olive**
1 **oignon** finement émincé
2 **carottes** coupées en dés
2 branches de **céleri**
   coupées en dés
2 gousses d'**ail** épluchées
1 **pomme de terre** épluchée
   et coupée en dés
125 g de **petits pois** ou de
   fèves écossés, décongelés
   si vous les utilisez surgelés
1 **courgette** coupée en dés
125 g de **haricots verts**,
   équeutés et coupés
   en morceaux de 3,5 cm
125 g de **tomates**
   oblongues pelées
   et coupées en petits
   morceaux
1,2 l de **bouillon** de légumes
75 g de **petites pâtes**
   sèches
10 feuilles de **basilic**
   déchirées
sel et **poivre noir**

Pour servir
parmesan fraîchement râpé
huile d'olive vierge extra
pain de campagne grillé

Faites chauffer l'huile d'olive à feu doux dans une grande casserole à fond épais. Mettez-y l'oignon, les carottes, le céleri et l'ail, et faites revenir 10 minutes en remuant de temps en temps. Ajoutez la pomme de terre, les petits pois ou les fèves, la courgette, les haricots verts, et faites cuire 2 minutes en remuant. Ajoutez les tomates, salez et poivrez, et laissez cuire 2 minutes de plus.

Versez le bouillon de légumes et portez à ébullition. Réduisez le feu et laissez mijoter 20 minutes jusqu'à ce que tous les légumes soient bien tendres.

Ajoutez les pâtes et le basilic à la soupe et faites cuire jusqu'à ce que les pâtes soient *al dente*, en remuant fréquemment. Rectifiez l'assaisonnement avant de saupoudrer de parmesan râpé et d'ajouter un filet d'huile d'olive vierge extra. Servez accompagné de quelques tranches de pain de campagne grillé.

Pour un minestrone plus crémeux, mixez la soupe à la fin de la deuxième étape et faites cuire les pâtes à part dans une casserole d'eau bouillante salée. Incorporez les pâtes égouttées dans la soupe et réchauffez avant de servir.

minestrone verde

Pour **4 à 6 personnes**
Préparation **20 minutes**
Cuisson **1 h 30 à 1 h 45**

50 g de **haricots cannellini**
  secs, trempés toute la nuit
3 c. à s. d'**huile d'olive**
2 gousses d'**ail** écrasées
2 **poireaux** coupés
  en rondelles
3 **tomates** coupées
  en petits morceaux
3 c. à s. de **persil plat**
  haché
1 c. à s. de **ciboulette**
  ciselée
125 g de **haricots verts**
  coupés en morceaux
  de 2,5 cm
150 g de **fèves** écossées
  pelées
125 g de **petits pois**
  écossés, frais ou surgelés
1 l d'**eau bouillante**
  ou de bouillon
75 g de petites **pâtes**
  sèches
175 g d'**épinards**
sel et **poivre noir**

Pour servir
pesto rouge tout prêt
parmesan fraîchement râpé

Égouttez et rincez les haricots cannellini, mettez-les dans une casserole et recouvrez d'eau froide. Portez à ébullition puis réduisez le feu et laissez mijoter 45 à 60 minutes jusqu'à ce qu'ils soient tendres. Retirez du feu et réservez dans leur eau de cuisson.

Faites chauffer l'huile à feu doux dans une grande casserole, ajoutez l'ail et les poireaux et faites revenir 5 à 10 minutes en remuant de temps en temps jusqu'à ce qu'ils soient tendres. Ajoutez les tomates avec la moitié des herbes, salez, poivrez et faites cuire 12 à 15 minutes jusqu'à ce que la chair des tomates se défasse.

Ajoutez les haricots verts, ainsi que les fèves et les petits pois s'ils sont frais. Laissez cuire 1 à 2 minutes, puis versez l'eau ou le bouillon. Portez à ébullition et laissez bouillir 10 minutes. Ajoutez les petites pâtes, les haricots cannellini avec leur eau de cuisson et les épinards (ainsi que les fèves et les petits pois s'ils sont surgelés), et faites cuire 10 minutes. Rectifiez l'assaisonnement et ajoutez les herbes restantes.

Servez accompagné d'une généreuse cuillerée de pesto rouge et saupoudrez de parmesan râpé. Décorez de ciboulette ciselée.

Pour ajouter une pointe de basilic à votre soupe, remplacez le pesto rouge par une cuillerée de pesto classique au basilic maison (voir p. 158).

soupe aux pâtes et pois chiches

Pour **4 personnes**
Préparation **5 minutes**
Cuisson **35 minutes**

1 c. à s. d'**huile d'olive**
2 gousses d'**ail** finement émincées
2 branches de **romarin** finement coupées
1 **piment rouge** séché
2 c. à s. de **concentré de tomates**
400 g de **pois chiches** en boîte, égouttés et rincés
1,2 l de **bouillon** de légumes ou de poule
175 g de **tagliatelles ou de fettuccine** sèches, cassées en morceaux
sel

Pour servir
parmesan fraîchement râpé
huile d'olive vierge extra

Faites chauffer l'huile d'olive à feu doux dans une grande casserole, ajoutez l'ail, le romarin et le piment, et faites revenir en remuant jusqu'à ce l'ail commence à blondir. Ajoutez le concentré de tomates et les pois chiches, et laissez cuire 2 à 3 minutes en remuant, puis versez le bouillon. Portez à ébullition, puis réduisez le feu et laissez mijoter 15 minutes.

Mixez la moitié de ce mélange jusqu'à ce qu'il soit lisse, puis reversez-le dans la casserole. Portez à ébullition et salez si nécessaire. Ajoutez les pâtes et faites cuire jusqu'à ce qu'elles soient *al dente* en remuant fréquemment. Ajoutez un peu d'eau bouillante si la soupe est trop épaisse ; celle-ci doit être plus épaisse qu'une soupe ordinaire, tout en étant plus liquide qu'un plat de pâte.

Laissez la soupe reposer 2 à 3 minutes avant de servir avec du parmesan râpé et un filet d'huile d'olive.

Pour donner un bon goût de fromage à votre soupe, ajoutez un morceau de croûte de parmesan dans la casserole en même temps que le bouillon. La croûte diffusera un arôme intense et délicieux qui parfumera votre soupe. N'oubliez pas de la retirer avant de servir !

bouillon bien-être

Pour **4 personnes**
Préparation **2 minutes**
Cuisson **25 minutes**

2 **escalopes de poulet**
  sans os ni peau,
  environ 300 g au total
900 ml de **bouillon** de poule
  froid
1 rondelle de **citron**
2 c. à c. de **thym**
  grossièrement haché
250 g de **cappelletti**
  ou de petits tortellini frais
  à la viande
sel et **poivre noir**
parmesan fraîchement râpé
  pour servir

Mettez les escalopes de poulet, le bouillon, la rondelle de citron et le thym dans une grande casserole. Laissez mijoter doucement (l'eau doit être frémissante mais pas bouillante). Couvrez et faites cuire 15 minutes jusqu'à ce que la viande soit totalement blanche. Retirez le poulet du bouillon à l'aide d'une écumoire et disposez-le sur une assiette. Ôtez la rondelle de citron.

Lorsque le poulet a suffisamment refroidi pour être travaillé, découpez-le en gros morceaux.

Portez le bouillon à ébullition, salez et poivrez. Ajoutez les pâtes et laissez cuire 2 à 3 minutes en ajoutant le poulet découpé 1 minute avant la fin du temps de cuisson. Servez immédiatement en saupoudrant généreusement de parmesan râpé.

Pour un bouillon aux œufs, retirez la soupe du feu une fois les pâtes cuites et versez-y en une fois 2 œufs battus sans cesser de remuer. Les œufs cuisent presque instantanément en pénétrant dans le bouillon frémissant.

soupe à la pancetta et aux haricots

Pour **4 personnes**
Préparation **15 minutes**
+ temps de trempage
Cuisson **35 minutes**

15 g de **cèpes** séchés
200 ml d'**eau bouillante**
1 c. à s. d'**huile d'olive**
75 g de **pancetta** coupée
en dés
1 petit **oignon** finement
émincé
1 **carotte** finement coupée
1 branche de **céleri**
finement coupée
2 gousses d'**ail** finement
hachées
2 branches de **romarin**
coupées
400 g de **haricots borlotti**
en boîte, égouttés et rincés
200 ml de **vin rouge**
1 c. à s. de **concentré
de tomates**
1 l de **bouillon** de poule
175 g de **petites pâtes**
sèches
sel et **poivre noir**

Pour servir
parmesan fraîchement râpé
huile d'olive vierge extra

Mettez les cèpes dans un petit saladier résistant
à la chaleur, versez l'eau bouillante, en prenant soin
de bien recouvrir les champignons. Laissez tremper
15 minutes. Égouttez en réservant l'eau de trempage
et épongez les cèpes pour retirer tout excédent d'eau.

Faites chauffer l'huile d'olive à feu doux dans une
grande casserole à fond épais, ajoutez la pancetta,
l'oignon, la carotte et le céleri et faites revenir
10 minutes en remuant. Montez à feu moyen
et ajoutez l'ail, le romarin et les cèpes. Faites cuire
1 minute en remuant, puis ajoutez les haricots
et le vin. Laissez bouillir à gros bouillons jusqu'à ce
que le vin soit presque évaporé. Ajoutez le concentré
de tomates, l'eau de trempage des champignons
et le bouillon. Portez à ébullition puis réduisez le feu
et laissez mijoter 10 minutes. Jusqu'à ce stade,
il est possible de préparer cette soupe à l'avance.

Juste avant de servir, portez la soupe à gros
bouillons, salez et poivrez. Ajoutez les pâtes
et faites-les cuire *al dente* en remuant souvent.

Laissez reposer la soupe 2 à 3 minutes avant
de la servir saupoudrée de parmesan râpé
et agrémentée d'un filet d'huile d'olive.

Pour une soupe au chou noir toscan, ajoutez
125 g de cavolo nero finement coupé juste avant
le concentré de tomates. Couvrez et laissez cuire
5 minutes avant de reprendre le fil de la recette.

salade aux fèves et au chèvre

Pour **4 personnes**
Préparation **5 minutes**
Cuisson **15 à 20 minutes**

250 g de **tomates** mures
2 gousses d'**ail** épluchées
5 c. à s. d'**huile d'olive**
  vierge extra
1 c. à s. de **vinaigre**
  balsamique vieux extra
300 g de **fèves** écossées,
  fraîches ou surgelées
300 g de **farfalle** sèches
200 g de **fromage**
  de chèvre émietté
20 feuilles de **basilic**
  déchirées
sel et **poivre noir**

Mixez finement les tomates et l'ail. Versez dans un grand saladier et ajoutez l'huile d'olive et le vinaigre. Salez et poivrez.

Faites cuire les fèves dans une casserole d'eau bouillante jusqu'à ce qu'elles soient tendres (6 à 8 minutes pour des fèves fraîches, 2 minutes pour des fèves surgelées). Égouttez, passez sous l'eau froide, puis égouttez à nouveau. Retirez la peau. Ajoutez les fèves aux tomates et laissez mariner pendant la cuisson des pâtes.

Faites cuire les pâtes dans une grande casserole d'eau bouillante salée en suivant les instructions de l'emballage jusqu'à ce qu'elles soient *al dente*. Égouttez, passez sous l'eau froide, puis égouttez à nouveau. Versez les pâtes dans le saladier contenant les tomates et les fèves. Ajoutez le fromage de chèvre et le basilic, puis remuez délicatement. Rectifiez l'assaisonnement. Laissez reposer au moins 5 minutes avant de servir.

Pour une salade plus douce et moins calorique, utilisez du fromage frais à la place du fromage de chèvre. Vous pouvez aussi remplacer le basilic par de la roquette.

salade chaude raviolis betterave

Pour **4 personnes**
Préparation **10 minutes**
Cuisson **12 minutes**

4 c. à s. d'**huile d'olive**
 vierge extra
2 **oignons rouges** finement
 émincés
2 gousses d'**ail** finement
 émincées
500 g de **raviolis** frais
 aux épinards et à la ricotta
375 g de **betteraves** cuites
 dans leur jus, égouttées
 et coupées en dés
2 c. à s. de **câpres**
 en saumure, rincées
 et égouttées
2 c. à s. de **vinaigre**
 balsamique vieux extra
sel

Pour servir
mélange de **feuilles**
 de salade amère
 (chicorée, radicchio,
 roquette, frisée...)
brins de **persil**
feuilles de **basilic**
copeaux de **pecorino** frais
 (facultatif)

Faites chauffer 2 cuillerées à soupe d'huile d'olive dans une grande poêle à feu moyen, ajoutez les oignons et l'ail, et faites blondir 10 minutes, en remuant de temps en temps.

Pendant ce temps, faites cuire les pâtes dans une grande casserole d'eau bouillante salée en suivant les instructions de l'emballage jusqu'à ce qu'elles soient *al dente*. Égouttez et remuez délicatement en ajoutant le reste de l'huile d'olive.

Ajoutez les betteraves, les câpres et le vinaigre dans la poêle et faites réchauffer le tout. Versez le mélange sur les pâtes. Transvasez dans un grand saladier avec le jus de cuisson et laissez refroidir 5 minutes.

Disposez les raviolis dans des ramequins ou sur des assiettes avec les feuilles de salade et les herbes aromatiques. Si vous le souhaitez, saupoudrez de copeaux de pecorino avant de servir.

Pour une salade de pâtes sèches, utilisez 200 g de penne au lieu des raviolis. Faites la sauce comme expliqué ci-dessus, et terminez en ajoutant 100 g de ricotta émiettée.

salade aux légumes de printemps

Pour **4 personnes**
Préparation **10 minutes**
Cuisson **10 à 12 minutes**

4 c. à s. d'**huile d'olive**
   vierge extra
1 gousse d'**ail** écrasée
le **zeste** finement râpé
   et le **jus** de 1/2 citron
   non traité
6 **oignons blancs** finement
   émincés
175 g de **fusilli** secs
150 g de pointes
   d'**asperges** coupées
   en morceaux de 2,5 cm
150 g d'**haricots verts**
   équeutés et coupés
   en morceaux de 2,5 cm
50 g de **petits pois**
   écossés, frais ou surgelés
1 boule de **mozzarella**
   de bufflonne, égouttée
   et coupée en petits
   morceaux
50 g de **cresson**
2 c. à s. de **persil plat**
   grossièrement haché
2 c. à s. de **ciboulette**
   ciselée
8 feuilles de **basilic**
   déchirées
sel et **poivre noir**

Mélangez l'huile d'olive, l'ail, le zeste et le jus de citron ainsi que les oignons blancs dans un grand saladier de service non métallique, et laissez mariner pendant la cuisson des pâtes.

Faites cuire les pâtes dans une grande casserole d'eau bouillante salée en suivant les instructions de l'emballage jusqu'à ce qu'elles soient *al dente*, puis ajoutez les asperges, les haricots verts et les petits pois dans la casserole 3 minutes avant la fin de la cuisson.

Égouttez rapidement les pâtes et les légumes, puis versez-les dans le saladier contenant la sauce. Réservez dans un endroit frais jusqu'à refroidissement à température ambiante.

Ajoutez tous les ingrédients restants dans la salade de pâtes. Salez et poivrez, puis laissez reposer au moins 5 minutes avant de servir, afin que les arômes se mélangent.

Adaptez cette recette aux légumes de saison :
par exemple, haricots cocos, fèves et roquette peuvent facilement remplacer ou venir s'ajouter aux ingrédients ci-dessus.

salade aux aubergines et courgettes

Pour **4 personnes**
Préparation **10 minutes**
  + marinade et repos
Cuisson **25 minutes**

1 **aubergine** coupée
  en tranches de 1 cm
2 **courgettes** coupées
  en tranches de 1 cm
100 ml d'**huile d'olive**
  vierge extra
1 c. à s. de **vinaigre
  balsamique** vieux extra
3 gousses d'**ail** finement
  hachées
20 g de **basilic**
  grossièrement haché
20 g de **menthe**
  grossièrement hachée
2 c. à s. de **câpres**
  en saumure, rincées
  et égouttées
1 **piment rouge** frais
  épépiné et finement haché
40 g de **pignons**
200 g de **conchiglie** sèches
sel

Placez une poêle-gril sur feu vif jusqu'à ce qu'elle fume. Dans un saladier, mélangez les aubergines et les courgettes avec 4 cuillerées à soupe d'huile d'olive. En plusieurs fois, mettez-les dans la poêle, et saisissez-les 1 à 2 minutes de chaque côté jusqu'à ce qu'elles soient bien grillées et tendres au cœur.

Lorsque vous les retirez du feu, coupez les tranches de courgettes en 3 et les tranches d'aubergines en 2. Transvasez les légumes dans un saladier avec le reste de l'huile, le vinaigre, l'ail, les herbes aromatiques, les câpres et le piment et mélangez bien. Salez, couvrez et laissez mariner au moins 20 minutes, ou toute la nuit, au réfrigérateur.

Faites dorer les pignons à feu doux dans une poêle sans matière grasse, en remuant souvent, 2 à 3 minutes environ. Ajoutez aux légumes grillés.

Faites cuire les pâtes dans une grande casserole d'eau bouillante salée en suivant les instructions de l'emballage jusqu'à ce qu'elles soient *al dente*. Égouttez, passez sous l'eau froide, puis égouttez à nouveau et versez sur les légumes préparés. Laissez reposer 10 minutes avant de servir, afin que les arômes se mélangent.

Pour une salade aux poivrons rouges et aux asperges, remplacez l'aubergine et les courgettes par 2 poivrons rouges et 150 g d'asperges ; faites-les griller comme expliqué ci-dessus.

salade artichauts petits pois menthe

Pour **4 personnes**
Préparation **10 minutes**
  + temps de repos
Cuisson **10 minutes**

250 g de **petites pâtes**
  sèches
250 g de **petits pois**
  surgelés décongelés
5 c. à s. d'**huile d'olive**
  vierge extra
6 **oignons blancs**
  grossièrement hachés
2 gousses d'**ail** écrasées
8 cœurs d'**artichauts**
  en boîte, égouttés
  et finement tranchés
4 c. à s. de **menthe**
  finement ciselée
le **zeste** finement râpé
  et le **jus** de 1/2 citron
  non traité + un peu
  de zeste pour décorer
sel et **poivre noir**

Faites cuire les pâtes dans une grande casserole d'eau bouillante salée en suivant les instructions de l'emballage jusqu'à ce qu'elles soient *al dente*, en ajoutant les petits pois dans la casserole 3 minutes avant la fin du temps de cuisson. Égouttez bien.

Pendant ce temps, faites chauffer à feu moyen 2 cuillerées à soupe d'huile d'olive dans une poêle, ajoutez les oignons blancs et l'ail et faites revenir en remuant 1 à 2 minutes jusqu'à ce qu'ils soient tendres.

Incorporez aux pâtes et aux petits pois les artichauts, la menthe et le reste de l'huile d'olive. Mélangez bien, salez et poivrez, puis laissez reposer 10 minutes. Ajoutez le zeste et le jus de citron, et servez la salade chaude, décorée du zeste de citron.

Pour varier l'utilisation des petites pâtes, telles que les malloreddus, ces pâtes en forme de grains de riz, testez-les dans différentes soupes.

salade aux fèves et feta aux herbes

Pour **2 personnes**
Préparation **15 minutes**
Cuisson **10 à 12 minutes**

200 g de **penne** ou autres
  pâtes sèches
200 g de **fèves** écossées,
  fraîches ou surgelées
50 g de **tomates séchées
  à l'huile**, égouttées
  et hachées grossièrement
1 poignée d'**herbes
  aromatiques** (persil,
  estragon, cerfeuil
  et ciboulette…)
  grossièrement hachées
50 g de **feta** émiettée
  ou grossièrement coupée
sel et **poivre noir**

Vinaigrette
2 c. à s. d'**huile d'olive**
  vierge extra
1 c. à s. de **vinaigre
  de xérès**
1/2 c. à c. de **moutarde
  en grains**

Faites cuire les pâtes dans une grande casserole d'eau bouillante salée en suivant les instructions de l'emballage jusqu'à ce qu'elles soient *al dente*. Égouttez, passez sous l'eau froide, puis égouttez à nouveau.

Pendant ce temps, faites cuire les fèves dans une autre casserole d'eau bouillante légèrement salée 4 à 5 minutes jusqu'à ce qu'elles soient tendres. Égouttez et plongez-les dans de l'eau glacée pour les refroidir. Retirez la peau.

Fouettez les ingrédients de la vinaigrette dans un petit saladier, salez et poivrez.

Placez les fèves dans un plat de service et versez-y les pâtes, les tomates et les herbes. Ajoutez la vinaigrette et mélangez. Poivrez et parsemez de feta. Servez immédiatement.

Pour un plat plus doux, remplacez la feta par 150 g de mozzarella de bufflonne. Pour une recette plus relevée, essayez avec 50 g de gorgonzola.

viande & volaille

carbonara au chorizo épicé

Pour **4 personnes**
Préparation **5 minutes**
Cuisson **18 à 20 minutes**

125 g de **chorizo**
  en tranches
1 c. à s. d'**huile d'olive**
375 g de **penne** sèches
4 **œufs**
50 g de **parmesan**
  fraîchement râpé
  + un peu pour servir
sel et **poivre noir**

Dans une poêle, faites chauffer le chorizo avec l'huile d'olive à feu très doux, en remuant de temps en temps, jusqu'à ce que le chorizo soit doré. La graisse fondue du chorizo va constituer un élément essentiel de la sauce.

Faites cuire les pâtes dans une grande casserole d'eau bouillante salée en suivant les instructions de l'emballage jusqu'à ce qu'elles soient *al dente*.

Pendant ce temps, cassez les œufs dans un bol, ajoutez-y le parmesan, salez et poivrez généreusement. Battez à la fourchette.

Juste avant que les pâtes soient cuites, augmentez le feu sous la poêle jusqu'à ce que l'huile et la graisse du chorizo commencent à grésiller. Égouttez soigneusement les pâtes, remettez-les dans la casserole et versez-y immédiatement le mélange œufs-parmesan ainsi que le contenu bien chaud de la poêle. Mélangez énergiquement de façon à ce que les œufs cuisent de manière homogène. Servez sans attendre saupoudré de parmesan râpé.

Pour une sauce carbonara au goût différent, remplacez le chorizo par un autre type de saucisse sèche, du bacon ou du jambon. Essayez par exemple avec de la saucisse au poivron, des dés de speck ou encore de la pancetta ou du jambon de Parme, comme dans la carbonara traditionnelle. Ajoutez un peu d'huile d'olive si vous utilisez une viande maigre.

fusilli speck épinards taleggio

Pour **4 personnes**
Préparation **5 minutes**
Cuisson **15 minutes**

375 g de **fusilli** secs
100 g de **speck** en tranches
150 g de **taleggio** en petits
  dés (fromage italien)
150 ml de **crème épaisse**
125 g de pousses
  d'**épinards** grossièrement
  hachées
sel et **poivre noir**
parmesan fraîchement râpé
  pour servir

Faites cuire les pâtes dans une grande casserole
d'eau bouillante salée en suivant les instructions
de l'emballage jusqu'à ce qu'elles soient *al dente*.

Pendant ce temps, coupez le speck en larges
lanières.

Égouttez les pâtes, remettez-les dans la casserole
et faites chauffer à feu doux. Ajouter le speck,
le taleggio, la crème et les épinards, puis mélangez
jusqu'à ce que la plus grande partie du fromage
ait fondu. Poivrez généreusement et servez
sans attendre saupoudré de parmesan râpé.

**Pour préparer des fusilli à la mozzarella
et au jambon,** utilisez 150 g de mozzarella au lieu
du taleggio et remplacez le speck par 100 g
de jambon de la Forêt-Noire. La mozzarella
apportera une saveur plus douce que le taleggio.

pâtes à l'arrabiata et chapelure aillée

Pour **4 à 6 personnes**
Préparation **5 minutes**
Cuisson **30 minutes**

3 c. à s. d'**huile d'olive**
2 **échalotes** émincées
   finement
8 tranches de **pancetta**
   non fumée coupées
   en morceaux
2 c. à c. de **piment sec**
   émietté
500 g de **dés de tomates**
   en boîte
400 à 600 g de **pâtes
   sèches** au choix
sel et **poivre noir**
brins de **persil** pour décorer

Pour la chapelure
4 tranches de **pain blanc**
   sans la croûte
125 g de **beurre**
2 gousses d'**ail** finement
   coupées

Dans une casserole, faites chauffer l'huile d'olive
sur feu moyen, ajoutez les échalotes et la pancetta
et faites revenir 6 à 8 minutes jusqu'à ce qu'elles
soient dorées, en remuant. Ajoutez le piment et les dés
de tomates, couvrez partiellement et laissez mijoter
20 minutes, jusqu'à ce que la sauce réduise
et épaississe. Salez et poivrez.

Pendant ce temps, faites cuire les pâtes dans
une grande casserole d'eau bouillante salée
en suivant les instructions de l'emballage
jusqu'à ce qu'elles soient *al dente*.

Pour préparer la chapelure, mixez les tranches
de pain dans un robot jusqu'à obtenir des miettes.
Faites fondre le beurre dans une poêle à feu moyen,
puis ajoutez les miettes de pain et l'ail. Poursuivez
la cuisson en remuant, jusqu'à ce que la chapelure
soit dorée et croustillante. (Attention à ne pas brûler
la chapelure, cela gâcherait complètement le plat.)

Égouttez les pâtes et versez-y la sauce tomate.
Mélangez et servez immédiatement. Saupoudrez
de chapelure et décorez de brins de persil.

Pour une sauce arrabiata aux poivrons,
placez 3 poivrons rouges coupés en deux sous
le gril pendant 10 minutes. Leur peau doit avoir
noirci. Retirez la peau, coupez les poivrons en
morceaux, ajoutez-les à 250 g de dés de tomates
en boîte puis reprenez le fil de la recette.

bolognaise traditionnelle

Pour **4 personnes**
Préparation **10 minutes**
Cuisson **3 à 5 heures**

25 g de **beurre doux**
1 c. à s. d'**huile d'olive**
1 petit **oignon** finement émincé
2 branches de **céleri** finement coupées
1 **carotte** coupée en tranches fines
1 feuille de **laurier**
200 g de viande maigre de **bœuf** hachée
200 g de viande maigre de **porc** hachée
150 ml de **vin blanc sec**
150 ml de **lait**
1 bonne pincée de **noix de muscade** fraîchement râpée
800 g de **dés de tomates** en boîte
400 à 600 ml de **bouillon de poule**
400 g de **fettuccine** sèches ou maison (quantité de pâte pour 3 œufs, voir p. 10)
sel et **poivre noir**
parmesan fraîchement râpé pour servir

Dans une grande casserole à fond épais, faites fondre le beurre et l'huile d'olive sur feu doux. Ajoutez l'oignon, le céleri, la carotte et la feuille de laurier. Faites revenir 10 minutes en remuant, jusqu'à ce que les légumes soient plus tendres, mais pas colorés. Ajoutez la viande, salez, poivrez, puis faites cuire sur feu moyen, en remuant.

Lorsque la viande n'est plus rose, versez le vin et portez à ébullition. Laissez mijoter 15 minutes jusqu'à évaporation. Versez le lait et la noix de muscade, et laissez frémir à nouveau 15 minutes, jusqu'à ce que le lait soit évaporé. Ajoutez les tomates et laissez cuire à découvert sur le plus petit feu possible, 3 à 5 heures. La sauce étant très épaisse, dès qu'elle commence à attacher, ajoutez 100 ml de bouillon si nécessaire.

Faites cuire les pâtes *al dente* dans une grande casserole d'eau bouillante salée, en suivant les instructions de l'emballage si vous utilisez des pâtes sèches, ou 2 minutes pour des pâtes fraîches. Égouttez et réservez une louche de l'eau de cuisson.

Remettez les pâtes dans la casserole sur feux doux. Versez la sauce, mélangez 30 secondes, puis ajoutez la louche d'eau de cuisson et mélangez à nouveau jusqu'à ce que les pâtes soient bien enrobées de sauce. Servez sans attendre avec du parmesan râpé.

Pour une version allégée en matières grasses, remplacez le porc par la même quantité de poulet ou de dinde hachés et utilisez du bœuf à faible teneur en matières grasses.

orecchiette brocolis saucisse

Pour **4 personnes**
Préparation **5 minutes**
Cuisson **15 minutes**

2 c. à s. d'**huile d'olive**
1 **oignon** finement émincé
200 g de **saucisses
de porc** italiennes
1 bonne pincée de **piment
sec** émietté
300 g d'**orecchiette** sèches
200 g de **brocolis** en petits
bouquets
40 g de **pecorino**
fraîchement râpé
+ un peu pour servir
sel

Dans une poêle, faites chauffer l'huile d'olive à feu
doux, ajoutez l'oignon et faites revenir 6 à 7 minutes
en remuant de temps en temps, jusqu'à ce qu'il soit
translucide. Ouvrez les saucisses dans le sens
de la longueur et retirez la chair à la fourchette.
Ajouter la chair à saucisse et le piment dans
la poêle, et montez à feu moyen. Faites cuire
4 à 5 minutes en remuant, jusqu'à ce que la
saucisse ait pris une coloration brune dorée.

Pendant ce temps, faites cuire les pâtes
et les brocolis dans une grande casserole d'eau
bouillante salée en suivant les instructions de
l'emballage jusqu'à ce que les pâtes soient *al dente*.
Ne vous inquiétez pas si les brocolis commencent
à se défaire : ils doivent être bien tendres.

Égouttez les pâtes et les brocolis, puis versez-les
dans la poêle avec la chair à saucisse. Ajoutez
le pecorino, mélangez, et servez aussitôt
accompagné d'un bol de pecorino râpé.

Pour une sauce aux brocolis et au chorizo,
remplacez les saucisses de porc italiennes par 200 g
de chorizo. Son goût piquant se mariera à merveille
avec le brocoli. Attention, pour cette recette,
il vous faut des saucisses italiennes de première
qualité, achetées chez un boucher. Elles sont
faites de gros morceaux de porc et non de
chair hachée mélangée à de la mie de pain.

bucatini pancetta tomate oignons

Pour **4 personnes**
Préparation **5 minutes**
Cuisson **1 heure**

1 c. à s. d'**huile d'olive**
1 **oignon** finement émincé
125 g de **pancetta** coupée
en dés
2 gousses d'**ail** écrasées
1 **piment rouge** sec
finement coupé
800 g de **dés de tomates**
en boîte
400 g de **bucatini** secs
parmesan ou pecorino
fraîchement râpé
pour servir
sel et **poivre**

Mettez l'huile d'olive, l'oignon et la pancetta dans une poêle et faites chauffer à feu doux 7 à 8 minutes jusqu'à ce que l'oignon et la pancetta soient dorés. Ajoutez l'ail et le piment et poursuivez la cuisson 1 minute en remuant, puis versez les dés de tomates. Salez, poivrez et portez à ébullition. Baissez le feu et laissez mijoter 40 minutes, en ajoutant un peu d'eau en cours de cuisson si la sauce attache. Jusqu'à cette étape, il est possible de préparer la sauce à l'avance.

Faites cuire les pâtes dans une grande casserole d'eau bouillante salée en suivant les instructions de l'emballage jusqu'à ce qu'elles soient *al dente*. Égouttez et réservez une louche d'eau de cuisson. Replacez les pâtes dans la casserole.

Si vous avez préparé la sauce à l'avance, réchauffez-la bien avant de la verser sur les pâtes. Mélangez sur feu moyen, puis ajoutez la louche d'eau de cuisson que vous aurez réservée et mélangez à nouveau jusqu'à ce que les pâtes soient bien enrobées de sauce onctueuse. Servez sans attendre parsemé de parmesan ou de pecorino râpé.

Pour un plat plus généreux, servez cette sauce avec des gnocchis traditionnels à la pomme de terre (voir p. 218), ou avec des tortellini frais à la viande que vous aurez achetés.

tagliatelles au poulet et à l'estragon

Pour **4 personnes**
Préparation **15 minutes**
  + temps de marinade
Cuisson **10 à 15 minutes**

3 **blancs de poulet**
  sans la peau, soit environ
  450 g au total, coupés
  en fines lamelles
1 gousse d'**ail** finement
  émincée
le **zeste** finement râpé
  et le **jus** de 1 **citron**
  non traité
2 c. à s. d'**huile d'olive**
125 g de **fèves** surgelées,
  décongelées et pelées
250 ml de **crème fraîche**
2 c. à s. d'**estragon**
  grossièrement haché
400 g de **tagliatelles**
  sèches ou maison
  (quantité de pâte
  pour 3 œufs, voir p. 10)
sel et **poivre noir**

Placez les lamelles de poulet, l'ail et la moitié du zeste de citron dans un petit saladier non métallique et mélangez pour enrober le poulet de cette marinade. Couvrez et laissez mariner au frais 15 minutes.

Dans une grande poêle, faites chauffer l'huile d'olive à feu vif. Salez et poivrez le poulet, puis versez-le dans la poêle. Faites cuire 2 minutes en remuant. Ajoutez les fèves, et poursuivez la cuisson 1 minute, en remuant, jusqu'à ce que le poulet soit doré et cuit jusqu'au cœur. Versez la crème fraîche, l'estragon, le reste du zeste et le jus de citron. Salez, poivrez, et ôtez du feu dès que la sauce commence à bouillir.

Faites cuire les pâtes dans une grande casserole d'eau bouillante salée jusqu'à ce qu'elles soient *al dente*, en suivant les instructions de l'emballage si vous utilisez des pâtes sèches, ou 2 minutes pour des pâtes fraîches. Égouttez soigneusement et réservez une louche de l'eau de cuisson.

Versez les pâtes dans la sauce et mélangez sur feu doux, jusqu'à ce qu'elles soient bien enrobées. Si la sauce n'est pas assez liquide, ajoutez un peu de l'eau de cuisson réservée pour lui redonner un aspect onctueux.

Si vous préférez des tagliatelles au saumon et à l'estragon, remplacez le poulet par 400 g de saumon frais coupé en dés.

fettuccine aux boulettes de porc

Pour **6 personnes**
Préparation **20 minutes**
+ temps de réfrigération
Cuisson **45 minutes**

400 g de **fettuccine**
ou de **tagliatelles** sèches
1 tranche de **pain blanc**
sans la croûte, coupée
en petits morceaux
3 c. à s. de **lait**
300 g de **porc** haché
1 **œuf**
1/2 **oignon** émincé très
finement
2 c. à s. de **persil plat**
haché
1/2 c. à c. de **sel**
4 c. à s. d'**huile d'olive**
1 gousse d'**ail** écrasée
800 g de **dés de tomates**
en boîte
100 g de **poivrons grillés**
en boîte, égouttés
et coupés en lanières
1 c. à s. d'**origan** séché
1 bonne pincée de **sucre
en poudre**
sel et **poivre noir**
huile d'olive vierge extra
pour servir

Pour les boulettes, faites tremper le pain dans le lait 5 minutes. Essorez le pain en retirant l'excédent de lait et émiettez-le dans un petit saladier. Ajoutez le porc, l'œuf, l'oignon et le persil. Salez et mélangez bien, puis formez de petites boulettes avec cette préparation. Couvrez-les et laissez-les reposer au frais 20 minutes.

Pendant ce temps, préparez la sauce. Dans une grande casserole, faites chauffer la moitié de l'huile d'olive à feu doux. Ajoutez l'ail et faites revenir 1 minute en remuant. Ajoutez les tomates, les poivrons, l'origan et le sucre, et portez à ébullition. Réduisez le feu, salez et poivrez. Laissez mijoter 10 minutes à couvert.

Dans une poêle, faites chauffer le reste de l'huile à feu vif. Faites-y cuire les boulettes, en plusieurs fois. Ajoutez les boulettes à la sauce. Versez un verre d'eau dans la poêle, portez-la à forte ébullition et déglacez les sucs de cuisson. Ajoutez à la sauce et laissez mijoter à couvert 20 minutes de plus.

Juste avant que la sauce soit prête, faites cuire les pâtes dans une grande casserole d'eau bouillante salée en suivant les instructions de l'emballage jusqu'à ce qu'elles soient *al dente*. Égouttez soigneusement et versez les pâtes dans la sauce. Mélangez et servez avec un filet d'huile d'olive vierge extra.

Pour un plat un peu plus relevé, ajoutez un piment rouge séché entier à la sauce, et retirez-le juste avant de servir.

farfalle aux asperges et au bacon

Pour **4 personnes**
Préparation **10 minutes**
Cuisson **15 minutes**

400 g d'**asperges**
  épluchées
1 grosse gousse d'**ail**
  écrasée
4 c. à s. d'**huile d'olive**
50 g de **parmesan**
  fraîchement râpé
8 tranches de **bacon**
  entrelardé ou de pancetta
400 g de **farfalle** sèches
sel et **poivre noir**
copeaux frais de **parmesan**
  pour servir

Coupez les pointes des asperges et réservez-les.
Coupez les tiges en tronçons de 2,5 cm et faites-les
blanchir 2 à 3 minutes dans une casserole d'eau
bouillante salée jusqu'à ce qu'elles soient bien tendres.
Égouttez-les et mixez-les au robot avec l'ail, l'huile
d'olive et le parmesan jusqu'à obtenir une pâte
lisse. Salez et poivrez.

Disposez les tranches de bacon sur une plaque allant
au four de façon à ce qu'elles ne se chevauchent
pas et passez-les 5 à 6 minutes sous le gril préchauffé
au préalable, jusqu'à ce qu'elles soient dorées
et croustillantes. Cassez-les en morceaux
de 2,5 cm environ.

Pendant ce temps, faites cuire les pâtes dans une
grande casserole d'eau bouillante salée en suivant
les instructions de l'emballage jusqu'à ce qu'elles
soient *al dente*, et ajoutez les pointes d'asperges
3 minutes avant la fin de la cuisson des pâtes.

Égouttez les pâtes et versez-les dans un saladier avec
la sauce aux asperges. Parsemez de bacon croustillant
et de copeaux de parmesan et servez aussitôt.

Pour faire aimer ce plat à des enfants difficiles,
ne mettez pas de pointes d'asperges. La consistance
crémeuse de la sauce et les morceaux croustillants
de bacon permettent de découvrir l'asperge
en douceur. Les enfants en mangeront sans même
s'en rendre compte.

fusilli trévise speck oignons

Pour **4 personnes**
Préparation **10 minutes**
Cuisson **25 minutes**

5 c. à s. d'**huile d'olive**
    vierge extra + un filet
    pour servir
1 **oignon** finement émincé
125 g de tranches de **speck**
    coupées en lanières
1 gousse d'**ail** finement
    émincée
200 g de **trévise** coupée
    en lanières
400 g de **fusilli** secs
sel et **poivre noir**

Dans une grande poêle, faites chauffer l'huile d'olive à feu doux, ajoutez l'oignon et faites-le revenir 6 à 7 minutes en remuant de temps en temps, jusqu'à ce qu'il soit translucide. Augmentez le feu au maximum et ajoutez le speck, l'ail et la trévise. Faites cuire 4 à 5 minutes en remuant, jusqu'à ce que la trévise soit tendre. Salez et poivrez.

Faites cuire les pâtes dans une grande casserole d'eau bouillante salée jusqu'à ce qu'elles soient *al dente*, en suivant les instructions de l'emballage si vous utilisez des pâtes sèches, ou 2 minutes pour des pâtes fraîches. Égouttez et réservez une louche de l'eau de cuisson.

Baissez le feu sous la poêle contenant la préparation à la trévise et versez-y les pâtes. Mélangez bien, puis versez la louche d'eau de cuisson réservée et continuez à remuer jusqu'à ce que les pâtes soient bien enrobées. Servez immédiatement avec un filet d'huile d'olive.

Pour une sauce à la saveur balsamique, versez un filet de vinaigre balsamique vieux sur les pâtes en même temps que l'huile d'olive, avant de servir. Le goût sucré du vinaigre balsamique atténuera la saveur amère de la trévise.

ragù à la viande rôtie

Pour **4 personnes**
Préparation **15 minutes**
Cuisson **45 à 55 minutes**

25 g de **beurre doux**
1 c. à s. d'**huile d'olive**
1 petit **oignon** émincé
1 branche de **céleri** coupée
1 **carotte** coupée en dés
2 c. à s. de **thym** haché
1 pincée de **piment sec**
   émietté
2 gousses d'**ail** écrasées
300 g de **bœuf**, **agneau**,
   volaille ou **porc** rôti,
   en petits morceaux
   ou en lanières
200 ml de **vin blanc sec**
400 g de **tomates** en boîte
200 ml de **bouillon**
   de viande
2 c. à s. de **persil plat**
   grossièrement haché
le **zeste** finement râpé
   de 1 **citron** non traité
2 c. à s. d'**huile d'olive**
   vierge extra + un filet
   pour servir
400 g de **pappardelle**
   sèches ou maison
   (quantité de pâte
   pour 3 œufs, voir p. 10)
sel
parmesan fraîchement râpé
   pour servir

Dans une grande casserole à fond épais, faites fondre le beurre et l'huile d'olive à feu doux. Ajoutez l'oignon, le céleri, la carotte et faites cuire 10 minutes en remuant de temps en temps, jusqu'à ce que les légumes soient plus tendres, mais pas encore colorés. Augmentez le feu au maximum, ajoutez le thym, le piment, l'ail et la viande. Laissez cuire 30 secondes en remuant. Versez le vin et faites bouillir à gros bouillons pendant 2 minutes, puis ajoutez les tomates, le bouillon, et salez.

Portez à ébullition, puis baissez le feu et laissez mijoter à découvert 30 à 35 minutes, jusqu'à ce que la sauce épaississe. Retirez du feu, ajoutez le persil, le zeste de citron et l'huile d'olive vierge extra.

Faites cuire les pâtes dans une grande casserole d'eau bouillante salée jusqu'à ce qu'elles soient *al dente*, en suivant les instructions de l'emballage si vous utilisez des pâtes sèches, ou 2 minutes pour des pâtes fraîches. Égouttez et remettez-les dans la casserole. Versez-y la sauce à la viande, en ajoutant un filet d'huile d'olive si nécessaire. Servez sans attendre saupoudré de parmesan râpé.

Pour un ragù plus crémeux, incorporez 100 g de crème fraîche à la sauce juste avant de l'ôter du feu, à la deuxième étape.

rigatoni petits pois speck menthe

Pour **4 personnes**
Préparation **10 minutes**
Cuisson **15 minutes**

25 g de **beurre doux**
2 c. à s. d'**huile d'olive**
2 **échalotes** coupées
   finement
100 g de tranches de **speck**
   coupées en lanières
200 ml de **vin blanc sec**
400 g de **petits pois**
   écossés, décongelés si
   vous les utilisez surgelés
2 c. à s. de **menthe**
   grossièrement hachée
   + quelques feuilles
   pour décorer
400 g de **rigatoni** secs
sel et **poivre noir**
copeaux frais de **parmesan**
   pour servir

Dans une poêle, faites fondre le beurre avec
l'huile d'olive sur feu moyen, puis faites revenir
les échalotes 5 minutes, en remuant de temps en
temps. Ajoutez les lanières de speck et laissez cuire
2 à 3 minutes en remuant jusqu'à ce qu'elles soient
croustillantes. Versez le vin et laissez mijoter 2 minutes
jusqu'à ce que le mélange ait un peu réduit.

Ajoutez les petits pois et la menthe, et faites cuire
5 minutes si vous utilisez des petits pois frais,
ou 2 minutes pour des petits pois surgelés,
tout en remuant. Salez et poivrez.

Pendant ce temps, faites cuire les pâtes dans
une grande casserole d'eau bouillante salée jusqu'à
ce qu'elles soient *al dente*, en suivant les instructions
de l'emballage. Égouttez rapidement, puis versez les
pâtes dans la poêle et mélangez bien à la préparation
aux petits pois. Servez sans attendre agrémenté
de copeaux de parmesan et de feuilles de menthe.

À la place du speck, vous pouvez utiliser 100 g
de pancetta en dés, des lanières de jambon de Parme
ou encore du jambon rôti.

penne à la saucisse et à la tomate

Pour **4 personnes**
Préparation **5 minutes**
Cuisson **45 minutes**

2 c. à s. d'**huile d'olive**
1 gros **oignon** finement
émincé
250 g de **saucisses
de porc** italiennes
1/2 c. à c. de graines
de **fenouil**
1 **piment rouge** sec
finement haché
1 branche de **céleri** entière
1 feuille de **laurier**
200 ml de **vin rouge**
625 g de **dés de tomates**
en boîte
4 c. à s. de **lait**
400 g de **penne**
ou de **rigatoni** secs
sel
parmesan ou **pecorino**
fraîchement râpé
pour servir

Dans une poêle, faites chauffer l'huile d'olive à feu doux, puis faites revenir l'oignon 6 à 7 minutes, en remuant de temps en temps, jusqu'à ce qu'il soit translucide. Fendez les saucisses et ôtez la chair à la fourchette. Mettez la chair à saucisse, les graines de fenouil et le piment dans la poêle et montez à feu moyen. Faites cuire 4 à 5 minutes, en remuant, jusqu'à ce que la chair à saucisse soit dorée.

Ajoutez le céleri, la feuille de laurier et le vin et faites frémir jusqu'à ce que le vin soit presque entièrement évaporé. Incorporez les tomates, salez et portez à ébullition. Réduisez le feu et laissez mijoter 25 à 30 minutes jusqu'à ce que la sauce épaississe. Versez le lait et faites cuire 5 minutes de plus. Retirez la branche de céleri et la feuille de laurier de la sauce.

Pendant ce temps, faites cuire les pâtes dans une grande casserole d'eau bouillante salée jusqu'à ce qu'elles soient *al dente,* en suivant les instructions de l'emballage.

Égouttez les pâtes et incorporez-les à la sauce. Servez tout de suite en accompagnant de parmesan ou de pecorino râpé.

**Pour un plat de penne à l'aubergine
et à la saucisse,** ajoutez une aubergine coupée en dés à la chair à saucisse et procédez comme ci-dessus. L'aubergine va se défaire dans la sauce et donnera au plat une saveur délicate.

tagliatelles châtaigne saucisse

Pour **4 personnes**
Préparation **10 minutes**
Cuisson **10 à 20 minutes**

200 g de **saucisses
de porc** italiennes
75 g de **châtaignes** en boîte
ou sous vide, égouttées
et grossièrement hachées
2 c. à s. de **thym**
grossièrement haché
200 ml de **crème épaisse**
400 g de **tagliatelles** sèches
ou maison (quantité
de pâtes pour 3 œufs,
voir p. 10)
50 g de **parmesan**
fraîchement râpé
+ un peu pour servir
5 c. à s. de **lait**
sel et **poivre noir**
branches de **thym** frais
pour servir

Fendez les saucisses et retirez la chair à la fourchette. Faites chauffer une grande poêle à fond épais sur feu doux, et mettez-y la chair à saucisse. Poursuivez la cuisson en remuant jusqu'à ce que la chair à saucisse soit dorée. En chauffant, la graisse de la chair à saucisse va fondre ce qui permet d'éviter que la viande attache à la poêle.

Augmentez le feu au maximum et ajoutez les châtaignes et le thym. Faites cuire 1 à 2 minutes en remuant pour colorer les châtaignes. Incorporez la crème et laissez frémir 1 minute pour que le mélange épaississe légèrement.

Faites cuire les pâtes dans une grande casserole d'eau bouillante salée jusqu'à ce qu'elles soient *al dente*, en suivant les instructions de l'emballage si vous utilisez des pâtes sèches, ou 2 minutes pour des pâtes fraîches. Égouttez soigneusement, puis mélangez à la sauce.

Placez la poêle sur feu très doux et ajoutez le parmesan et le lait. Salez et poivrez. Remuez délicatement jusqu'à ce que la sauce épaississe et que les pâtes soient bien enrobées. Servez sans attendre avec du parmesan râpé.

Pour une saveur différente, essayez des tagliatelles ou des spaghettis à la farine complète. Ces pâtes complètes au goût prononcé se marient particulièrement bien avec des sauces crémeuses comme celle-ci.

lasagnes traditionnelles à la viande

Pour **6 à 8 personnes**
Préparation **20 minutes**
  + temps d'infusion
Cuisson **27 à 35 minutes**

750 ml de **lait**
1 feuille de **laurier**
50 g de **beurre doux**
50 g de **farine** ordinaire
1 bonne pincée de **noix de muscade** fraîchement râpée
1 mesure de **sauce bolognaise** traditionnelle (voir p. 50)
250 g de **feuilles de lasagnes** sèches ou maison (quantité de pâtes pour 2 œufs, voir p. 10)
5 c. à s. de **parmesan** fraîchement râpé
sel et **poivre noir**

Pour la béchamel, dans une casserole, faites frémir le lait avec la feuille de laurier, puis laissez infuser 20 minutes hors du feu. Filtrez. Faites fondre le beurre à feu très doux dans une autre casserole, versez-y la farine et remuez 2 minutes jusqu'à obtenir une couleur rousse. Retirez du feu et versez doucement le lait infusé, éliminant les grumeaux éventuels. Remettez sur le feu et laissez frémir 2 à 3 minutes en remuant. Ajoutez la noix de muscade, salez et poivrez.

Préparez la sauce bolognaise ou réchauffez-la dans une casserole ou au micro-ondes. Faites cuire les feuilles de pâte *al dente*, en plusieurs fois, dans une grande casserole d'eau bouillante salée, selon les instructions de l'emballage pour des pâtes sèches, ou 2 minutes pour des pâtes fraîches. Égouttez, passez-les sous l'eau froide et disposez-les sur un torchon pour les éponger.

Garnissez le fond d'un plat allant au four avec un tiers de la sauce bolognaise, recouvrez d'une couche de pâtes, versez dessus la moitié de la sauce restante, puis un tiers de la béchamel. Répétez l'opération avec une couche de pâtes, le reste de la sauce bolognaise et la moitié de la béchamel restante. Terminez par le reste des feuilles de pâte, recouvrez du reste de béchamel et saupoudrez de parmesan. Faites cuire 20 minutes dans le four préchauffé à 220 °C.

Pour des lasagnes à la saucisse, remplacez la sauce bolognaise par la sauce à la saucisse et à la tomate (voir p. 68).

pâtes à la carbonara express

Pour **4 personnes**
Préparation **10 minutes**
Cuisson **10 minutes**

400 g de **spaghettis** secs
  ou autres pâtes longues
  et fines
2 c. à s. d'**huile d'olive**
200 g de **pancetta** coupée
  en dés
3 **œufs**
4 c. à s. de **parmesan**
  fraîchement râpé
3 c. à s. de **persil plat**
  haché
3 c. à s. de **crème fraîche**
  liquide
sel et **poivre noir**

Faites cuire les pâtes dans une grande casserole
d'eau bouillante salée jusqu'à ce qu'elles soient
al dente, en suivant les instructions de l'emballage.

Pendant ce temps, faites chauffer l'huile d'olive
à feu moyen dans une grande poêle antiadhésive.
Faites-y revenir la pancetta 4 à 5 minutes, en
remuant, jusqu'à ce qu'elle soit croustillante.

Dans un petit saladier, battez les œufs avec
le parmesan, le persil et la crème. Salez, poivrez
et réservez.

Égouttez les pâtes et versez-les dans la poêle
sur la pancetta. À feu doux, mélangez bien, puis
ajoutez les œufs battus. Remuez, puis retirez
la casserole du feu. Continuez à remuer
quelques secondes jusqu'à ce que les œufs
soient pris. Servez sans attendre.

Pour une carbonara aux champignons,
ajoutez 100 g de champignons émincés
à la pancetta et suivez le fil de la recette.

lasagnes champignons jambon

Pour **8 personnes**
Préparation **25 minutes**
  + trempage et infusion
Cuisson **35 à 40 minutes**

20 g de **cèpes** séchés
750 ml de **lait**
1 feuille de **laurier**
1 petit **oignon** en quartiers
125 g de **beurre doux**
30 g de **farine** ordinaire
175 ml de **crème liquide**
1/4 de c. à c. de **muscade**
  fraîchement râpée
200 g de **jambon**
  de Parme : 4 tranches
  entières et le reste
  en chiffonnade
3 c. à s. d'**huile d'olive**
325 g de **champignons**
  de Paris émincés
50 ml de **vin blanc sec**
250 g de feuilles
  de **lasagnes** sèches
5 c. à s. de **parmesan**
  fraîchement râpé
sel et **poivre noir**

Faites tremper les cèpes 30 minutes dans
un peu d'eau bouillante. Faites frémir le lait
avec le laurier et l'oignon. Laissez infuser 20 minutes
hors de feu. Filtrez. Dans une casserole, faites fondre
50 g de beurre à feu très doux. Ajoutez la farine
et remuez 2 minutes. Retirez du feu et versez le lait
en fouettant pour éviter les grumeaux. Remettez
sur le feu, et laissez frémir 2 à 3 minutes, en remuant.
Incorporez la crème, la muscade et la chiffonnade
de jambon. Salez et poivrez.

Égouttez les cèpes, réservez leur eau de trempage
et hachez-les. Dans une poêle, faites chauffer l'huile
d'olive à feu vif et faites-y revenir tous les champignons
1 minute. Versez l'eau de trempage et le vin. Faites
bouillir vivement jusqu'à ce que tout le liquide soit
absorbé. Assaisonnez et mélangez à la sauce.

Faites cuire les feuilles de lasagnes *al dente*,
en plusieurs fois, dans une grande casserole d'eau
bouillante salée. Égouttez, passez-les sous l'eau froide
et disposez-les sur un torchon pour les éponger.

Beurrez un plat à four. Tapissez-en le fond d'une
couche de pâte. Recouvrez d'un quart de la sauce,
parsemez d'un quart du beurre restant et saupoudrez
1 cuillerée à soupe de parmesan. Répétez l'opération
et terminez par une couche de sauce, les tranches
de jambon, le reste du beurre et du parmesan. Laissez
cuire 20 minutes dans le four préchauffé à 220 °C.

Pour les grandes occasions, arrosez les lasagnes
de 2 cuillerées à café d'huile de truffe avant de servir.

gnocchis fontina pancetta sauge

Pour **4 personnes**
Préparation **2 minutes**
Cuisson **20 minutes**

15 g de **beurre doux**
125 g de **pancetta** coupée
en dés
200 ml de **crème épaisse**
6 feuilles de **sauge** coupées
en fines lanières
75 g de **fontina** coupée
en dés
4 c. à s. de **parmesan**
fraîchement râpé
500 g de **gnocchis** du
commerce ou une mesure
de gnocchis traditionnels
à la pomme de terre
(voir p. 218)
sel et **poivre noir**

Dans une grande poêle, faites fondre le beurre
à feu doux, ajoutez la pancetta et faire revenir
10 à 12 minutes, en remuant de temps en temps,
jusqu'à ce qu'elle soit croustillante.

Incorporez la crème et la sauge, montez à feu
vif et portez à ébullition. Laissez bouillir jusqu'à
ce que le mélange épaississe légèrement.
Ajoutez la fontina et le parmesan, puis retirez
du feu. Remuez jusqu'à ce que le fromage soit
presque entièrement fondu, salez et poivrez.

Faites cuire les gnocchis dans une grande casserole
d'eau bouillante salée jusqu'à ce qu'ils remontent à
la surface, en suivant les instructions de l'emballage
pour des gnocchis du commerce, ou 3 à 4 minutes
pour des gnocchis maison. Égouttez soigneusement
et versez dans la sauce. Mélangez et servez aussitôt.

Si vous ne trouvez pas de fontina, vous pouvez
la remplacer par la même quantité de gruyère,
plus facilement disponible et au goût plus doux.

boulettes de bœuf aux pâtes ruban

Pour **4 personnes**
Préparation **20 minutes**
Cuisson **1 h 20**

400 g de **tagliatelles**
ou de **fettuccine** sèches
2 tranches de **pain rassis**
sans la croûte, coupées
en dés
75 ml de **lait**
4 c. à s. d'**huile d'olive**
6 **oignons blancs** ou 1 petit
oignon finement émincés
1 gousse d'**ail** finement
émincée
750 g de **bœuf** haché
2 c. à s. de **parmesan**
fraîchement râpé
noix de muscade
fraîchement râpé,
selon votre goût
300 ml de **vin blanc sec**
400 g de **dés de tomates**
en boîte
2 feuilles de **laurier**
sel et **poivre noir**
feuilles de **basilic**
pour décorer

Pour les boulettes, faites tremper le pain avec le lait dans un saladier. Faites chauffer la moitié de l'huile d'olive dans une poêle à feu moyen, faites-y revenir les oignons et l'ail 5 minutes, en remuant, jusqu'à ce qu'ils soient plus tendres et prennent une couleur dorée.

Incorporez la viande hachée au lait avec le pain. Ajoutez les oignons et l'ail, le parmesan, la noix de muscade, salez et poivrez. Travaillez à la main jusqu'à ce que le mélange soit homogène. Formez 28 boulettes de taille égale. Faites chauffer le reste de l'huile d'olive dans une grande poêle antiadhésive, faites-y cuire les boulettes, en plusieurs fois, à feu vif, en les retournant fréquemment pour qu'elles soient bien dorées. Transférez-les dans un plat allant au four.

Versez le vin et les tomates dans la poêle et portez à ébullition en déglaçant les sucs de cuisson. Ajoutez les feuilles de laurier, salez, poivrez, et faites bouillir à gros bouillons 5 minutes. Versez cette sauce sur les boulettes, couvrez de papier d'aluminium et enfournez 1 heure au four préchauffé à 180 °C. Les boulettes doivent être bien cuites.

Juste avant que les boulettes et la sauce soient prêtes, faites cuire les pâtes *al dente* dans une grande casserole d'eau bouillante salée, selon les instructions de l'emballage. Égouttez et servez accompagné des boulettes en sauce. Décorez de feuilles de basilic.

Pour des boulettes un peu différentes, vous pouvez remplacer le bœuf par 750 g de veau ou de porc haché ou encore utiliser un mélange des deux.

tortellini crème jambon petits pois

Pour **4 personnes**
Préparation **2 minutes**
Cuisson **8 à 12 minutes**

15 g de **beurre doux**
150 de **petits pois** écossés,
  décongelés si vous les
  utilisez surgelés
75 g de **jambon** coupé
  en lanières
300 g de **crème fraîche**
1 bonne pincée de **noix
  de muscade** fraîchement
  râpée
500 g de **tortellini** frais
  aux épinards et à la ricotta
  ou à la viande
40 g de **parmesan**
  fraîchement râpé
sel et **poivre noir**

Dans une grande poêle, faites fondre le beurre
à feu moyen et attendez qu'il commence à grésiller.
Ajoutez alors les petits pois et le jambon, et faites
cuire, en remuant, 3 à 4 minutes si vous utilisez
des petits pois frais, 1 minute s'ils sont surgelés.

Incorporez la crème fraîche, la noix de muscade,
salez, poivrez. Portez à ébullition et laissez bouillir
2 minutes pour que le mélange épaississe légèrement.

Faites cuire les tortellini dans une grande casserole
d'eau bouillante salée jusqu'à ce qu'ils soient
al dente, en suivant les instructions de l'emballage.
Égouttez et versez dans la sauce avec le parmesan.
Mélangez délicatement et servez aussitôt.

Cette recette peut être réalisée avec d'autres
types de jambon : goûtez-la avec du jambon rôti
au miel, du jambon poivré, du jambon de Parme
ou encore du jambon fumé. Tous seront délicieux.
Vous pouvez également remplacer le jambon par
la même quantité de tranches de bacon, que vous
ferez frire 4 minutes avant la préparation de la sauce.

pappardelle aux cèpes et prosciutto

Pour **4 personnes**
Préparation **10 minutes**
Cuisson **6 à 10 minutes**

400 g de **pappardelle**
sèches ou maison
(quantité de pâtes
pour 3 œufs, voir p. 10)
2 c. à s. d'**huile d'olive**
1 gousse d'**ail** écrasée
250 g de **cèpes** frais
émincés
250 g de tranches
de **prosciutto**
150 ml de **crème liquide**
1 poignée de **persil plat**
haché
75 g de **parmesan**
fraîchement râpé
sel et **poivre noir**

Faites cuire les pâtes dans une grande casserole
d'eau bouillante salée jusqu'à ce qu'elles soient
al dente, en suivant les instructions de l'emballage
si vous utilisez des pâtes sèches, ou 2 à 3 minutes
pour des pâtes fraîches.

Pendant ce temps, faites chauffer l'huile d'olive
dans une casserole sur feu moyen, puis faites revenir
l'ail et les cèpes 4 minutes, en remuant. Coupez
le prosciutto en lanières et ajoutez-le aux cèpes
avec la crème et le persil. Salez et poivrez. Portez à
ébullition, puis baissez le feu et laissez frémir 1 minute.

Égouttez les pâtes, versez-les dans la sauce
et mélangez à l'aide de deux cuillères pour
les enrober de sauce de façon homogène.
Saupoudrez de parmesan, mélangez bien
et servez sans attendre.

Si vous souhaitez utiliser des cèpes séchés,
recouvrez-en 125 g d'eau chaude et laissez
gonfler 15 minutes. Égouttez et épongez
les cèpes avec du papier absorbant, puis
utilisez-les comme indiqué dans la recette.

poisson & fruits de mer

conchiglie thon roquette citron

Pour **4 personnes**
Préparation **10 minutes**
 + temps de marinade
Cuisson **10 à 12 minutes**

300 g de **thon à l'huile
 d'olive** en boîte, égoutté
4 c. à s. d'**huile d'olive**
 vierge extra + un filet
le **zeste** finement râpé
 de 1 **citron** non traité
2 gousses d'**ail** écrasées
1 petit **oignon rouge**
 très finement émincé
2 c. à s. de **persil plat**
 grossièrement haché
375 g de **conchiglie rigate**
 sèches
75 g de **roquette** sauvage
sel et **poivre noir**

Égouttez le thon et versez-le dans un grand saladier de service. Émiettez-le avec une fourchette, puis ajoutez tous les autres ingrédients, sauf les pâtes et la roquette. Salez et poivrez, couvrez et laissez reposer dans un endroit frais au moins 30 minutes, afin que les arômes se mélangent.

Pendant ce temps, faites cuire les pâtes dans une grande casserole d'eau bouillante salée en suivant les instructions de l'emballage jusqu'à ce qu'elles soient *al dente*.

Égouttez les pâtes, puis mettez-les avec la roquette dans le saladier contenant le thon. Mélangez. Servez sans attendre avec la bouteille d'huile d'olive pour en ajouter éventuellement un filet dans les assiettes.

Pour des conchiglie au saumon fumé,
remplacez le thon par 300 g de saumon. Retirez la peau du poisson, puis suivez les instructions de la recette. Il est aussi possible d'utiliser la même quantité de maquereau fumé.

spaghettis tomates anchois

Pour **4 personnes**
Préparation **10 minutes**
Cuisson **1 h 45**

500 g de **tomates cerises**
  coupées en deux
75 ml d'**huile d'olive** vierge
  extra
2 gousses d'**ail**
  grossièrement hachées
400 g de **spaghettis** secs
50 g de **miettes de pain
  blanc** fraîches
8 filets d'**anchois** à l'huile,
  égouttés, rincés, séchés
  et coupés en gros
  morceaux
sel et **poivre noir**

Disposez les tomates, côté tranché vers le haut, en une seule couche sur une grille de four recouverte de papier de cuisson. Versez un filet d'huile d'olive et saupoudrez avec la moitié de l'ail. Salez et poivrez légèrement, et faites cuire 1 h 30 au four préchauffé à 120 °C.

Faites cuire les pâtes dans une grande casserole d'eau bouillante salée en suivant les instructions de l'emballage jusqu'à ce qu'elles soient *al dente*. Égouttez.

Pendant ce temps, faites chauffer le reste de l'huile à feu vif dans une grande poêle. Versez les miettes de pain et le reste d'ail, et faites cuire, en remuant, jusqu'à ce que le tout soit doré et croustillant. Retirez du feu et ajoutez les anchois, les tomates cuites et les pâtes.

Remuez 30 secondes à feu doux pour bien enrober les pâtes de sauce. Servez immédiatement.

Si vous êtes pressé, utilisez 150 g de tomates séchées toutes prêtes au lieu de passer les vôtres au four. Réchauffez-les dans l'huile d'olive 1 à 2 minutes avant de faire frire les miettes de pain.

pâtes à la lotte et aux moules

Pour **4 à 6 personnes**
Préparation **20 minutes**
Cuisson **45 minutes**

500 g de **queue de lotte**
4 c. à s. d'**huile d'olive**
1 **oignon** finement émincé
4 gousses d'**ail** finement
  coupées
500 g de **tomates** mûres
  pelées, épépinées
  et coupées en petits
  morceaux
1/4 de c. à c. de pistils
  de **safran**
1,8 l de **court-bouillon**
375 g de **fideus** secs
1 kg de petites **moules**
  vivantes nettoyées
  (voir p. 120)
sel et **poivre noir**
mayonnaise à l'ail
  pour servir

Nettoyez et séchez la queue de lotte. À l'aide d'un couteau aiguisé, découpez-la dans le sens de la largeur pour obtenir de gros tronçons.

Faites cuire à feu doux dans une casserole la moitié de l'huile d'olive, l'oignon, l'ail et les tomates 10 minutes, en remuant de temps en temps. Ajoutez la lotte, le safran et le court-bouillon, et portez à ébullition. Réduisez le feu et laissez mijoter 5 minutes, puis retirez le poisson à l'aide d'une écumoire et réservez. Laissez mijoter le bouillon 25 minutes de plus.

Pendant ce temps, faites chauffer le reste d'huile d'olive à feu moyen dans une marmite. Versez les pâtes et faites cuire 5 minutes sans cesser de remuer, jusqu'à ce qu'elles soient dorées.

Petit à petit, ajoutez le bouillon à la tomate et laissez mijoter en remuant, jusqu'à ce que les pâtes soient cuites. Ajoutez les moules, remuez bien, puis ajoutez la lotte. Faites cuire 5 à 6 minutes de plus jusqu'à ce que les moules soient ouvertes et que la lotte soit entièrement cuite. Salez et poivrez, et servez accompagné de mayonnaise à l'ail.

Pour des pâtes aux fruits de mer, remplacez la lotte par 750 g de coquillages vivants et 500 g de calamars nettoyés et coupés en anneaux. Versez-les dans la marmite avec les moules, puis suivez la recette ci-dessus.

linguine citron crevettes pimentées

Pour **4 personnes**
Préparation **15 minutes**
Cuisson **10 à 12 minutes**

375 g de **linguine**
  ou de **spaghettis** secs
1 c. à s. de **beurre**
1 c. à s. d'**huile d'olive**
1 gousse d'**ail** finement
  hachée
2 **oignons blancs** finement
  émincés
2 **piments rouges** frais
  épépinés et coupés
  en petits morceaux
425 g de grosses **crevettes**
  crues, épluchées jusqu'à
  la queue
2 c. à s. de **jus de citron**
2 c. à s. de feuilles de
  coriandre fraîche finement
  hachées + quelques
  feuilles pour décorer
sel et **poivre noir**

Faites cuire les pâtes dans une grande casserole d'eau bouillante salée en suivant les instructions de l'emballage jusqu'à ce qu'elles soient *al dente*.

Pendant ce temps, faites fondre le beurre avec l'huile d'olive à feu moyen dans une grande poêle et faites-y revenir l'ail, les oignons et les piments 2 à 3 minutes, en remuant. Portez à feu vif, ajoutez les crevettes et faites cuire 3 à 4 minutes, en remuant, jusqu'à ce qu'elles prennent une couleur rose et soient entièrement cuites. Versez le jus de citron et la coriandre, puis retirez du feu.

Égouttez les pâtes soigneusement et ajoutez au mélange de crevettes. Salez et poivrez bien, remuez. Servez aussitôt décoré de feuilles de coriandre.

Pour une recette aux calamars, remplacez les crevettes crues par 425 g de calamars nettoyés (voir p. 98). Coupez un côté du corps des calamars, placez-les à plat et incisez la peau en zigzags. Faites-les cuire 1 à 2 minutes en remuant.

fusilli aux sardines piquantes

Pour **4 personnes**
Préparation **10 minutes**
Cuisson **35 minutes**

4 c. à s. d'**huile d'olive**
1 **oignon** finement émincé
30 g de **raisins secs**
30 g de **pignons de pin**
le **zeste** finement râpé
  de 1 petite **orange**
le **zeste** finement râpé
  de 1 **citron** non traité
1 c. à s. d'**aneth**
  grossièrement haché
1 c. à c. de graines
  de **fenouil**
1 **piment rouge** séché
  coupé en petits morceaux
2 gousses d'**ail** épluchées
150 ml de **vin blanc sec**
400 g de **fusilli** secs
75 g de **miettes de pain**
  frais blanc ou complet
325 g de filets de **sardines**
  fraîches coupés en gros
  morceaux
3 c. à s. de **persil plat**
  grossièrement haché

Versez la moitié de l'huile dans une grande poêle à fond épais et mettez-y l'oignon, les raisins secs et les pignons. Ajoutez les zestes des agrumes, l'aneth, les graines de fenouil et le piment, puis placez la poêle sur feu très doux. Écrasez les gousses d'ail avec le plat de la lame d'un grand couteau et ajoutez-les dans la poêle. Faites cuire 12 à 15 minutes, en remuant, jusqu'à ce que l'oignon soit doré et caramélisé. Ajoutez le vin et portez à gros bouillons 2 minutes.

Faites cuire les pâtes *al dente* dans une grande casserole d'eau bouillante salée en suivant les instructions de l'emballage. Égouttez et réservez 1 louche de l'eau de cuisson.

Pendant ce temps, répartissez les miettes de pain sur une grande feuille de papier de cuisson et versez-y l'huile d'olive restante. Faites-les griller 4 à 5 minutes dans un four préchauffé à 220 °C jusqu'à ce qu'elles prennent une couleur brun doré.

Mettez la poêle avec la sauce sur feu vif et ajoutez les sardines. Faites cuire 1 à 2 minutes en remuant. Versez-les dans les pâtes et remuez. Ajoutez l'eau de cuisson des pâtes et mélangez pour bien enrober les pâtes. Retirez du feu, puis saupoudrez les miettes de pain grillées et le persil. Servez immédiatement.

Pour un plat plus doux, utilisez la même quantité de rouget-barbet, de bar, d'espadon ou de thon frais à la place des sardines.

spaghettis calamars tomates piment

Pour **4 personnes**
Préparation **20 minutes**
Cuisson **20 minutes**

1 kg de **calamars** crus
4 c. à s. d'**huile d'olive**
vierge extra + un filet
pour servir
1 **piment rouge** frais
finement émincé
500 g de **tomates cerises**
coupées en deux
100 ml de **vermouth sec**
400 g de **spaghettis** secs
15 g de feuilles de **basilic**
déchirées
1 gousse d'**ail** finement
hachée
le **zeste** de 1/2 **citron**
non traité
sel

Nettoyez les calamars sous un filet d'eau froide.
Détachez les tentacules du corps en tirant dessus ;
les entrailles sortiront facilement. Enlevez le cartilage
transparent de l'intérieur de la poche. Nettoyez bien
la poche et retirez la membrane rosâtre. Incisez entre
la tête et les tentacules, et jetez la tête ainsi que les
entrailles. Coupez les corps en anneaux, séchez-les
avec du papier absorbant, couvrez et réservez au frais.

Faites chauffer l'huile d'olive à feu vif dans une
grande poêle, ajoutez le piment et les tomates, salez.
Faites cuire 5 à 6 minutes, en remuant, jusqu'à ce que
les tomates aient un aspect légèrement grillé. Versez
le vermouth et portez à gros bouillons 2 minutes.

Faites cuire les pâtes dans une grande casserole
d'eau bouillante salée en suivant les instructions
de l'emballage jusqu'à ce qu'elles soient *al dente*.
Égouttez.

Lorsque les pâtes sont presque prêtes, portez la
sauce à la tomate à ébullition et ajoutez les calamars,
le basilic, l'ail et le zeste de citron. Faites cuire 1 minute
en remuant, puis versez les pâtes et mélangez bien
pour bien les enrober de sauce. Servez sans attendre.

Variante aux calamars et aux petits pois,
une association typiquement italienne : ajoutez
dans la poêle 50 g de petits pois écossés, frais
ou décongelés, juste avant de verser le vermouth.

pâtes au thon, tomates et olives

Pour **4 personnes**
Préparation **10 minutes**
Cuisson **10 à 12 minutes**

400 g de **penne**
   ou de **rigatoni** secs
2 c. à s. d'**huile d'olive**
   vierge extra + un filet
   pour servir
2 gousses d'**ail** finement
   hachées
1 grosse pincée de **piments
   secs** écrasés
400 g de **tomates** mûres
   grossièrement coupées
50 g d'**olives noires**
   dénoyautées
   grossièrement hachées
1 c. à s. de **thym**
   grossièrement haché
300 g de **thon à l'huile
   d'olive** en boîte, égoutté
sel et **poivre noir**

Faites cuire les pâtes dans une grande casserole
d'eau bouillante salée en suivant les instructions
de l'emballage jusqu'à ce qu'elles soient *al dente*.

Pendant ce temps, faites chauffer l'huile d'olive
à feu moyen dans une grande poêle et ajoutez l'ail,
les piments, les tomates, les olives et le thym. Portez
à ébullition et laissez mijoter 5 minutes. Émiettez
le thon à la fourchette et ajoutez-le dans la sauce.
Faites mijoter 2 minutes, puis salez et poivrez.

Égouttez les pâtes puis ajoutez-les à la sauce.
Servez aussitôt avec la bouteille d'huile d'olive pour
en ajouter éventuellement un filet dans les assiettes.

Pour une sauce au thon frais, découpez une tranche
de thon de 300 g en lamelles, salez et poivrez. Faites
sauter dans l'huile d'olive 2 minutes avant d'ajouter
les autres ingrédients et laissez cuire 5 minutes.

spaghettis aux asperges et anchois

Pour **4 personnes**
Préparation **10 minutes**
Cuisson **10 à 12 minutes**

375 g de **spaghettis** secs
375 g d'**asperges** parées
   et coupées en tronçons
   de 7 cm
5 c. à s. d'**huile d'olive**
50 g de **beurre**
1/2 c. à c. de **piments secs**
   écrasés
2 gousses d'**ail** coupées
   en lamelles
50 g de filets d'**anchois**
   à l'huile, égouttés
   et coupés en petits
   morceaux
2 c. à s. de **jus de citron**
75 g de copeaux
   de **parmesan**
   fraîchement coupés
sel

Faites cuire les pâtes dans une grande casserole
d'eau bouillante salée en suivant les instructions
de l'emballage jusqu'à ce qu'elles soient *al dente*.

Pendant ce temps, disposez les asperges dans
une lèchefrite. Arrosez-les d'un filet d'huile
et parsemez de beurre. Saupoudrez avec
les piments, l'ail et les morceaux d'anchois,
et faites cuire 8 minutes au four préchauffé à 200 °C
jusqu'à ce que les asperges soient tendres.

Transvasez ce mélange ainsi que le jus de la lèchefrite
dans un saladier. Égouttez les pâtes, versez-les
dans le saladier et remuez pour bien les enrober
de sauce. Ajoutez le jus de citron et salez. Servez
immédiatement parsemé de copeaux de parmesan.

**Pour des spaghettis aux poivrons grillés
et aux anchois,** remplacez les asperges par
2 poivrons rouges épépinés et coupés en lamelles.
Faites cuire au four comme indiqué ci-dessus.

linguine au bar et aux tomates

Pour **4 personnes**
Préparation **10 minutes**
Cuisson **30 minutes**

2 gousses d'**ail** épluchées
4 c. à s. d'**huile d'olive**
  vierge extra
1/4 de c. à c. de **piments**
  secs écrasés
700 g de **tomates** mûres
  grossièrement coupées
125 ml de **vin blanc sec**
400 g de **linguine** sèches
375 g de **bar** en filet sans
  peau coupé en fines
  lamelles
3 c. à s. de **persil plat**
  grossièrement haché
sel

Écrasez l'ail avec le plat de la lame d'un grand couteau. Faites chauffer l'huile d'olive à feu doux dans une grande poêle et faites-y revenir l'ail et les piments 10 minutes, en remuant de temps en temps. Si l'ail commence à colorer, retirez du feu et laissez infuser dans la poêle chaude.

Ajoutez les tomates et le vin, salez légèrement et portez à ébullition. Réduisez à feu moyen et faites cuire 12 à 15 minutes jusqu'à ce que le mélange épaississe.

Pendant ce temps, faites cuire les pâtes dans une grande casserole d'eau bouillante salée en suivant les instructions de l'emballage jusqu'à ce qu'elles soient *al dente*.

Juste avant que les pâtes soient prêtes, ajoutez le bar et le persil à la sauce tomate et faites cuire 2 minutes jusqu'à ce que le poisson soit bien blanc.

Égouttez les pâtes en réservant une louche de l'eau de cuisson. Ajoutez les pâtes à la sauce et remuez 30 secondes sur le feu. Versez l'eau de cuisson et mélangez jusqu'à ce que les pâtes soient bien enrobées. Servez aussitôt.

Essayez les linguine à la daurade, au vivaneau ou au rouget-barbet, en choisissant votre poisson en fonction des arrivages du jour. Tous ces poissons s'adaptent très bien à cette sauce.

lasagnes au thon et à la roquette

Pour **4 personnes**
Préparation **10 minutes**
Cuisson **10 minutes**

8 feuilles de **lasagnes**
    sèches
1 c. à s. d'**huile d'olive**
1 botte d'**oignons blancs**
    émincés
2 **courgettes** coupées
    en dés
500 g de **tomates cerises**
    coupées en quartiers
400 g de **thon au naturel**
    en boîte, égoutté
65 g de **roquette** sauvage
4 c. à c. de **pesto vert**
    tout prêt
poivre noir
feuilles de **basilic**
    pour décorer

Faites cuire les feuilles de lasagnes, en plusieurs fois, dans une grande casserole d'eau bouillante salée en suivant les instructions de l'emballage jusqu'à ce qu'elles soient *al dente*. Égouttez et remettez-les dans la casserole pour les garder au chaud.

Pendant ce temps, faites chauffer l'huile d'olive à feu moyen dans une poêle, puis faites revenir les oignons blancs et les courgettes 3 minutes, en remuant. Retirez du feu, ajoutez les tomates, le thon et la roquette et mélangez le tout délicatement.

Disposez un peu du mélange au thon dans 4 assiettes de service et recouvrez d'une feuille de lasagnes. Ajoutez le reste du mélange au thon, puis recouvrez des feuilles de lasagnes restantes. Poivrez généreusement et décorez de 1 cuillerée de pesto et de quelques feuilles de basilic avant de servir.

Pour des lasagnes à la truite ou au saumon,
remplacez le thon par 400 g de filets de poisson déjà cuits. Pour les occasions spéciales, utilisez de préférence un pesto classique au basilic maison (voir p. 158) au lieu d'un pesto tout prêt.

linguine aux palourdes

Pour **4 personnes**
Préparation **20 minutes**
Cuisson **25 minutes**

2 c. à s. d'**huile d'olive**
2 gousses d'**ail** coupées
en fines lamelles
1/2 **piment rouge** séché
émincé
350 g de **linguine** sèches
1 kg de **palourdes** vivantes
nettoyées (voir p. 120)
2 c. à s. de **persil plat**
grossièrement haché
sel
huile d'olive vierge extra
pour servir (facultatif)

Faites chauffer l'huile d'olive à feu doux dans votre plus grande poêle ou dans un wok. Ajoutez l'ail et le piment, et laissez les arômes se diffuser pendant 10 minutes. Si l'ail commence à colorer, retirez du feu et laissez infuser dans la poêle chaude.

Faites cuire les pâtes dans une grande casserole d'eau bouillante salée en suivant les instructions de l'emballage jusqu'à ce qu'elles soient *al dente*.

Pendant ce temps, augmentez le feu sous la poêle, ajoutez les palourdes et faites cuire en remuant jusqu'à ce qu'elles s'ouvrent. Cela ne doit pas prendre plus de 4 à 5 minutes. Assurez-vous de faire coïncider la cuisson des palourdes avec celle des pâtes, afin que rien ne soit trop cuit.

Égouttez les pâtes et réservez une louche de l'eau de cuisson. Ajoutez les pâtes, l'eau de cuisson et le persil aux palourdes et mélangez sur le feu pendant 30 secondes, afin que les saveurs se mélangent. Servez sans attendre agrémenté d'un filet d'huile d'olive vierge extra si vous le souhaitez.

Pour une variante aux herbes aromatiques,
remplacez le persil par 2 cuillerées à soupe de thym citronné grossièrement haché ou de coriandre fraîche.

garganelli au rouget-barbet

Pour **4 personnes**
Préparation **10 minutes**
Cuisson **12 minutes**

400 g de **garganelli** secs
125 g de **beurre doux**
4 tranches de **jambon
de Parme** coupées
en lanières de 2,5 cm
300 g de filets de **rouget-
barbet** coupés
en tronçons de 2,5 cm
10 feuilles de **sauge**
grossièrement hachées
sel et **poivre noir**

Faites cuire les pâtes dans une grande casserole
d'eau bouillante salée en suivant les instructions
de l'emballage jusqu'à ce qu'elles soient *al dente*.

Pendant ce temps, faites fondre le beurre dans
une grande poêle sur feu moyen. À l'apparition
des premières bulles, ajoutez le jambon de Parme
et remuez 2 à 3 minutes. Salez et poivrez le rouget,
puis posez les filets dans la poêle, la peau en dessous.
Versez la sauge en pluie et faites cuire 2 à 3 minutes
jusqu'à ce que le poisson soit complètement
cuit. Si le beurre colore trop, réduisez le feu.

Égouttez les pâtes, réservez une louche de l'eau
de cuisson et versez les pâtes dans la poêle sur
le poisson. Mélangez délicatement, puis versez l'eau
de cuisson réservée et remuez sur feu moyen jusqu'à
ce que les pâtes soient bien enrobées. Servez aussitôt.

Pour une sauce plus savoureuse, ajoutez dans
les pâtes 50 g d'olives noires dénoyautées
grossièrement hachées à la dernière minute.

pâtes noires à la lotte

Pour **4 personnes**
Préparation **10 minutes**
Cuisson **10 à 12 minutes**

375 g de **pâtes noires**
   à l'encre de seiche
25 g de **beurre**
200 g de **queue de lotte**
   coupée en dés de 2,5 cm
   de côté
2 gros **piments rouges**
   frais épépinés et finement
   émincés
2 gousses d'**ail** hachées
2 c. à s. de **nuoc-mâm**
150 g de pousses
   d'**épinards**
le jus de 2 **citrons verts**
sel
rondelles de **citron vert**
   pour servir

Faites cuire les pâtes dans une grande casserole d'eau bouillante salée en suivant les instructions de l'emballage jusqu'à ce qu'elles soient *al dente*. Égouttez soigneusement et remettez dans la casserole. Ajoutez le beurre et remuez bien.

Pendant ce temps, disposez les dés de lotte sur un grand morceau de papier d'aluminium et arrosez de nuoc-mâm, saupoudrez du piment et de l'ail. Refermez le papier d'aluminium en papillote, en repliant les bords pour la fermer. Placez sur une plaque allant au four et faites cuire 8 à 10 minutes au four préchauffé à 200 °C. Le poisson doit être cuit jusqu'au cœur.

Videz la papillote dans les pâtes chaudes. Ajoutez les épinards et remuer jusqu'à ce qu'ils flétrissent. Versez le jus de citron vert, salez et servez sans attendre avec des rondelles de citron vert.

Avec ces pâtes noires, vous pouvez aussi utiliser d'autres poissons : essayez la recette préparée avec 200 g de thon frais ou de steak d'espadon à la place de la lotte.

linguine aux crevettes et courgettes

Pour **4 personnes**
Préparation **10 minutes**
Cuisson **10 à 12 minutes**

400 g de **linguine** sèches
3 c. à s. d'**huile d'olive**
200 g de **crevettes** royales
    crues décortiquées
2 gousses d'**ail** écrasées
le **zeste** finement râpé
    de 1 **citron** non traité
1 **piment rouge** frais
    épépiné et finement
    émincé
400 g de **courgettes** râpées
    grossièrement
50 g de **beurre doux** en dés
sel

Faites cuire les pâtes dans une grande casserole
d'eau bouillante salée en suivant les instructions
de l'emballage jusqu'à ce qu'elles soient *al dente*.
Égouttez.

Pendant ce temps, faites chauffer l'huile d'olive dans
une grande poêle sur feu vif jusqu'à ce qu'elle frémisse
légèrement. Mettez-y les crevettes, l'ail, le zeste de
citron et le piment, salez, et faites revenir 2 minutes,
en remuant, jusqu'à ce que les crevettes soient roses.
Ajoutez les courgettes et le beurre, salez à nouveau et
mélangez bien. Laissez cuire 30 secondes en remuant.

Versez les pâtes et mélangez jusqu'à ce que le beurre
soit bien fondu et que tous les ingrédients soient
mélangés de façon homogène. Servez aussitôt.

Vous pouvez aussi remplacer les courgettes

par 200 g d'anneaux de calamar préparés
et les cuisiner comme les crevettes.
Si vous le préférez, remplacez encore les crevettes
par la même quantité de noix de Saint-Jacques.

tagliatelles et steak de thon épicé

Pour **4 personnes**
Préparation **15 minutes**
Cuisson **10 à 12 minutes**

375 g de **tagliatelles** vertes
   sèches
2 gros **piments verts** frais
   épépinés et hachés
   grossièrement
25 g de **coriandre** fraîche
   avec ses racines
1 grosse gousse d'**ail**
   grossièrement hachée
25 g d'**amandes** torréfiées
2 c. à s. de **jus de citron
vert**
5 c. à s. d'**huile d'olive**
4 **steaks de thon** d'environ
   150 g chacun
sel
brins de **fenouil**
   pour décorer
rondelles de **citron vert**
   pour servir

Faites cuire les pâtes dans une grande casserole
d'eau bouillante salée en suivant les instructions
de l'emballage jusqu'à ce qu'elles soient *al dente*.

Pendant ce temps, mixez les piments, la coriandre,
l'ail, les amandes et le jus de citron vert dans un robot
pendant 10 secondes. Tout en mixant, versez l'huile
d'olive en filet. Salez.

Faites chauffer un gril ou une poêle à fond épais
sur feu vif jusqu'à ce qu'il fume. Saisissez les steaks
de thon 30 secondes de chaque côté, ou jusqu'à
ce que chaque face soit bien revenue, mais que
le steak reste rosé au cœur. Retirez du feu
et coupez les steaks en deux.

Égouttez les pâtes soigneusement, mélangez-y
les deux tiers de la sauce à la coriandre et répartissez
dans 4 assiettes. Disposez sur chacune deux
morceaux de thon et 1 cuillerée de la sauce restante.
Décorez des brins de fenouil et servez avec
des rondelles de citron vert.

Si vous préférez le saumon, faites cuire des pavés
de saumon de 150 g jusqu'à ce qu'ils soient bien
fermes et grillés. Comme pour le thon, votre poêle
doit être bien chaude pour saisir le poisson. Le temps
de cuisson exact dépend de l'épaisseur des pavés.

linguine pimentées au crabe

Pour **4 personnes**
Préparation **10 minutes**
Cuisson **10 à 12 minutes**

400 g de **linguine** sèches
100 ml d'**huile d'olive**
vierge extra
1 bulbe de **fenouil** paré
et coupé en fines lamelles
1 **piment rouge** frais
finement coupé
2 gousses d'**ail** finement
émincées
300 g de **chair de crabe**
fraîche
100 ml de **vermouth sec**
type Noilly Prat
le **jus** de 1 **citron**
3 c. à s. de **persil plat**
grossièrement haché
brins de **fenouil**
pour décorer
sel

Faites cuire les pâtes dans une grande casserole d'eau bouillante salée en suivant les instructions de l'emballage jusqu'à ce qu'elles soient *al dente*.

Pendant ce temps, faites chauffer 2 cuillerées à soupe d'huile d'olive dans une grande poêle sur feu doux. Faites-y revenir le fenouil, le piment et l'ail 5 à 6 minutes, en remuant de temps en temps. Ajoutez la chair de crabe, passez à feu vif et versez le vermouth. Laissez cuire à gros bouillons 1 à 2 minutes jusqu'à ce que le liquide soit presque entièrement évaporé, puis retirez du feu et versez le reste de l'huile et le jus de citron. Salez.

Égouttez les pâtes et versez-les dans la sauce, puis ajoutez le persil. Mélangez, décorez de brins de fenouil et servez aussitôt.

Pour une sauce sans cuisson, mélangez tous les ingrédients sauf le vermouth pendant que les pâtes cuisent. Utilisez un citron non traité et ajoutez son zeste râpé. Incorporez cette sauce aux pâtes égouttées et ajoutez un peu d'huile d'olive si nécessaire.

coquillages à l'huile et à l'ail

Pour **4 personnes**
Préparation **20 minutes**
  + temps de dégorgement
Cuisson **25 minutes**

750 g de **palourdes**
  vivantes
750 g de **moules** vivantes
75 ml d'**huile d'olive** vierge
  extra
2 gousses d'**ail** coupées
  en fines lamelles
1/2 **piment rouge** sec
  haché
375 g de **spaghettis** secs
150 ml de **vin blanc sec**
2 c. à s. de **persil plat**
  grossièrement haché

Lavez les palourdes et les moules sous un filet d'eau froide, en éliminant les coquillages cassés ou ceux qui demeurent ouverts lorsqu'on les touche. Ébarbez les moules et grattez-les. Laissez dégorger les palourdes et les moules dans une grande quantité d'eau froide 30 minutes, puis rincez-les à nouveau. Placez-les dans un saladier recouvert d'un torchon et réservez au frais.

Faites chauffer l'huile à feu doux dans la plus grande poêle dont vous disposez ou dans un wok. Ajoutez l'ail et le piment et laissez leurs saveurs infuser 10 minutes. Si l'ail commence à colorer, retirer du feu et laissez infuser dans la poêle chaude.

Faites cuire les pâtes dans une grande casserole d'eau bouillante salée en suivant les instructions de l'emballage jusqu'à ce qu'elles soient *al dente*.

Pendant ce temps, augmentez le feu sous la poêle. Versez le vin et portez à gros bouillons 2 minutes. Ajoutez les palourdes et les moules et faites cuire en remuant jusqu'à ce que les coquillages s'ouvrent. Cela ne devrait pas prendre plus de 4 à 5 minutes.

Égouttez les pâtes et transvasez-les dans la poêle, puis ajoutez le persil. Mélangez sur le feu 30 secondes pour bien. Servez tout de suite.

Pour une sauce à la tomate, à l'ail et au piment, ajoutez 250 g de tomates cerises coupées en deux et faites-les cuire, face coupée vers le bas, avec l'huile d'olive, l'ail et le piment.

farfalle au saumon fumé

Pour **4 personnes**
Préparation **10 minutes**
Cuisson **25 minutes**

40 g de **beurre doux**
1 c. à s. d'**huile d'olive**
2 **échalotes** finement
  émincées
150 ml de **vin blanc sec**
200 g de **crème fraîche**
125 g de **saumon fumé**
  grossièrement coupé
  en lanières
400 g de **farfalle** sèches
2 c. à s. d'**aneth**
  grossièrement haché
30 g d'**œufs de saumon**
sel et **poivre noir**

Dans une grande poêle, faites fondre le beurre
à feu doux. Ajoutez l'huile d'olive et les échalotes
et laissez cuire 6 à 7 minutes, en remuant
de temps en temps. Versez le vin, augmentez
à feu vif et faites cuire à gros bouillons 2 à 3 minutes
jusqu'à ce que le liquide ait réduit de moitié. Retirez
du feu, incorporez la crème fraîche et les lanières
de saumon. Poivrez généreusement et salez.

Faites cuire les pâtes dans une grande casserole
d'eau bouillante salée en suivant les instructions
de l'emballage jusqu'à ce qu'elles soient *al dente*.
Égouttez et réservez une louche d'eau de cuisson.

Faites frémir la sauce puis versez-y les pâtes.
Mélangez bien. Ajoutez la louche d'eau
de cuisson réservée et remuez jusqu'à ce
que les pâtes soient bien enrobées de sauce.
joutez l'aneth et les œufs de saumon en remuant
délicatement et servez sans attendre.

Pour une version plus riche en légumes, ajoutez
aux pâtes 75 g de pousses d'épinards ou de roquette
sauvage en même temps que la sauce, ou faites
cuire 150 g de pointes d'asperges avec les pâtes
pendant les 3 dernières minutes de la cuisson.

sauce au homard et spaghettis

Pour **6 personnes**
Préparation **10 minutes**
Cuisson **25 minutes**

3 **homards** d'environ 400 g
   dans leur carapace
600 g de **spaghettis** secs
3 c. à s. d'**huile d'olive**
2 à 3 gousses d'**ail** hachées
1 bonne pincée de **piment
sec** écrasé
1 verre de **vin blanc sec**
1 c. à s. de **persil** haché
   + un peu pour servir
sel et **poivre noir**

Portez une grande casserole d'eau salée à ébullition, plongez-y 1 homard et laissez frémir 12 minutes. Laissez refroidir puis retirer la chair de la carapace.

Faites cuire les pâtes dans une grande casserole d'eau bouillante salée jusqu'à ce qu'elles soient *al dente*, en suivant les instructions de l'emballage.

Pendant ce temps, coupez les 2 homards restants dans le sens de la longueur, ôtez l'estomac et découpez-les en gros morceaux : pinces, tête et le reste.

Faites chauffer l'huile d'olive dans une sauteuse, ajoutez l'ail, le piment et les morceaux de homard cru et faites revenir 2 minutes en remuant. Versez le vin et portez à ébullition. Ajoutez la chair du homard bouilli et le persil. Salez et poivrez.

Égouttez les pâtes et mélangez-les à la préparation au homard. Servez aussitôt en décorant de persil. Mangez le homard avec les doigts : cela fait partie du plaisir de ce plat !

Pour une sauce aux crevettes, remplacez le homard par 250 g de crevettes crues décortiquées. Faites-les cuire dans la sauteuse avec l'ail et le piment 2 à 3 minutes en remuant, jusqu'à ce qu'elles soient roses. Versez ensuite le vin comme indiqué dans la recette.

fusilli à l'espadon et à l'artichaut

Pour **4 personnes**
Préparation **5 minutes**
  + temps de marinade
Cuisson **12 à 15 minutes**

le **jus** de 1/2 **citron**
2 gousses d'**ail** coupées
  en fines lamelles
1 **piment rouge** frais
  épépiné et coupé finement
100 ml d'**huile d'olive**
  vierge extra
400 g de **steak d'espadon**
  coupé en dés de 0,5 cm
  de côté
375 g de **fusilli** secs
200 g de **cœurs**
  d'artichauts marinés
  à l'huile d'olive, égouttés
50 g d'**olives noires**
  dénoyautées
  grossièrement hachées
3 c. à s. de **menthe**
  grossièrement hachée
sel

Versez le jus de citron, l'ail, le piment et 2 cuillerées à soupe d'huile dans un petit saladier non métallique. Ajoutez les dés d'espadon et enduisez-les bien de marinade. Couvrez et laissez mariner au frais 15 minutes.

Faites cuire les pâtes dans une grande casserole d'eau bouillante salée jusqu'à ce qu'elles soient *al dente*, en suivant les instructions de l'emballage.

Pendant ce temps, faites chauffer le reste d'huile d'olive dans une grande poêle à feu vif. Coupez les cœurs d'artichauts en deux et faites-les revenir 2 minutes avec les olives dans la poêle, en remuant. Salez l'espadon, et versez-le avec sa marinade dans la poêle. Faites cuire 2 à 3 minutes, en remuant de temps en temps, jusqu'à ce que le poisson soit juste cuit.

Égouttez les pâtes en réservant une louche d'eau de cuisson. Transvasez les pâtes dans la poêle et ajoutez la menthe. Sur feu doux, mélangez bien puis versez l'eau de cuisson réservée. Remuez jusqu'à ce que les pâtes soient bien enrobées de sauce. Servez immédiatement.

Si vous préférez une sauce aux fruits de mer et aux artichauts, utilisez 250 g de crevettes crues ou d'anneaux de calamar, ou encore un mélange des deux. Vous pouvez également remplacer l'espadon par la même quantité de thon frais.

linguine à la truite fumée

Pour **4 personnes**
Préparation **10 minutes**
Cuisson **10 à 12 minutes**

400 g de **linguine** sèches
125 g de **beurre doux**
300 g de **truite fumée**
  à chaud en morceaux
5 **oignons blancs** émincés
  finement
1 c. à s. d'**estragon**
  grossièrement haché
4 c. à s. de **ciboulette**
  ciselée
4 c. à s. de **persil plat**
  haché
le jus de 1 **citron**
sel et **poivre noir**

Faites cuire les pâtes dans une grande casserole
d'eau bouillante salée jusqu'à ce qu'elles soient
al dente, en suivant les instructions de l'emballage.

Pendant ce temps, faites fondre le beurre à feu
doux dans une casserole. Ajoutez tous les ingrédients,
remuez et retirez du feu.

Égouttez les pâtes en réservant une louche
de l'eau de cuisson. Versez les pâtes dans
le beurre aux herbes en remuant, salez et poivrez.
Si les pâtes vous semblent trop sèches, ajoutez
un peu de l'eau de cuisson réservée pour bien
les enrober de sauce. Servez aussitôt.

**Pour une sauce encore plus onctueuse
et crémeuse,** mixez tous les ingrédients
de la sauce, sauf le beurre jusqu'à ce qu'ils
forment une pâte homogène. Tout en mixant,
versez progressivement le beurre fondu. Nappez
ensuite les pâtes cuites de cette sauce.

macaronis et haddock au fromage

Pour **4 personnes**
Préparation **2 minutes**
Cuisson **30 minutes**

600 ml de **lait**
325 g de filets de **haddock**
fumé non coloré
325 g de **macaronis** secs
50 g de **beurre doux**
+ un peu pour beurrer
le plat
25 g de **farine** ordinaire
1 c. à s. de **moutarde**
en grains
250 ml de **crème liquide**
125 g de **petits pois**
écossés, décongelés
si vous les utilisez surgelés
125 g de **cheddar** râpé
4 c. à s. de **parmesan**
fraîchement râpé
1 c. à s. de **persil plat**
grossièrement haché
125 g de **miettes de pain**
de la veille blanc
ou complet
1 c. à s. d'**huile d'olive**
sel et **poivre noir**

Dans une casserole large, faites chauffer le lait jusqu'au point d'ébullition. Plongez-y le haddock sans superposer les filets et pochez à feu doux 6 à 8 minutes, jusqu'à ce que la chair se défasse facilement. Retirez le haddock à l'aide d'une écumoire. Ôtez la peau et rompez les filets en gros morceaux. Filtrez le lait dans une jatte.

Faites cuire les pâtes dans une grande casserole d'eau bouillante salée jusqu'à ce qu'elles soient *al dente*, en suivant les instructions de l'emballage.

Pendant ce temps, faites fondre le beurre dans une casserole à feu doux. Ajoutez la farine et laissez cuire 2 minutes en remuant. Retirez du feu et versez le lait réservé en fouettant pour éliminer les grumeaux. Remettez sur le feu et laissez frémir 2 à 3 minutes, en remuant. Ajoutez la moutarde, la crème, les petits pois, le cheddar et la moitié du parmesan. Salez et poivrez.

Égouttez les pâtes et remettez-les dans la casserole. Versez-y la sauce et le haddock, puis transvasez le mélange dans un plat beurré allant au four. Mélangez le persil, le parmesan restant et les miettes de pain, puis répartissez cette préparation de façon homogène sur les pâtes. Arrosez d'un filet d'huile d'olive et placez dans le four préchauffé à 220 °C pour 10 minutes, jusqu'à ce que le plat soit bouillant et doré.

Pour un gratin plus original, ajoutez une poignée de crevettes royales cuites et de chutes de saumon fumé au mélange avant d'enfourner.

pâtes Saint-Jacques et pancetta

Pour **4 personnes**
Préparation **15 minutes**
Cuisson **15 à 20 minutes**

5 c. à s. d'**huile d'olive**
  vierge extra
125 g de **pancetta** coupée
  en dés
1 **piment rouge** frais
  épépiné et finement
  émincé
2 gousses d'**ail** coupées
  en fines lamelles
250 g de noix de **Saint-
  Jacques** fraîches
  sans leur coquille
400 g de **linguine** sèches
100 ml de **vin blanc sec**
2 c. à s. de **persil plat**
  grossièrement haché
sel

Faites chauffer l'huile d'olive dans une grande poêle sur feu moyen, faites-y cuire la pancetta 4 à 5 minutes, en remuant, jusqu'à ce qu'elle soit croustillante. Hors du feu, ajoutez le piment et l'ail. Laissez les saveurs se mêler pendant que vous préparez les noix de Saint-Jacques et que vous démarrez la cuisson des pâtes.

Si vous avez acheté des noix de Saint-Jacques avec leur corail, détachez-les délicatement du muscle. À l'aide d'un petit couteau bien aiguisé, coupez les noix en deux dans le sens de l'épaisseur pour en obtenir deux disques plus fins. Réservez.

Faites cuire les pâtes dans une grande casserole d'eau bouillante salée jusqu'à ce qu'elles soient *al dente*, en suivant les instructions de l'emballage.

Juste avant la fin de la cuisson des pâtes, faites chauffer à feu vif la poêle contenant la pancetta. Dès que l'huile commence à grésiller, salez les noix de Saint-Jacques et leur corail, mettez-les dans la poêle et faites revenir 2 minutes, en remuant. Versez le vin et portez à forte ébullition pendant 2 minutes.

Égouttez les pâtes et transvasez-les dans la poêle, puis ajoutez le persil. Mélangez à feu doux pour mêler toutes les saveurs. Servez sans attendre.

Si vous aimez les asperges, ajoutez 150 g de pointes d'asperges à l'eau des pâtes 3 minutes avant la fin de la cuisson, puis reprenez le fil de la recette.

végétarien

pâtes à la sauce tomate éclair

Pour **4 personnes**
Préparation **2 minutes**
Cuisson **10 à 12 minutes**

400 g de **pâtes sèches**
de votre choix
2 c. à s. d'**huile d'olive**
2 gousses d'**ail** finement
hachées
500 ml de **passata**
(purée de tomate)
25 g de **beurre doux**
(facultatif)
sel et **poivre noir**
parmesan fraîchement râpé
ou huile d'olive vierge
extra, pour servir

Faites cuire les pâtes dans une grande casserole d'eau bouillante salée en suivant les instructions de l'emballage jusqu'à ce qu'elles soient *al dente*.

Pendant ce temps, faites chauffer l'huile d'olive à feu doux dans une casserole, et faites-y revenir l'ail 30 secondes en remuant. Chauffez à feu vif et ajoutez rapidement la passata. Portez à ébullition, salez, poivrez, puis réduisez le feu et laissez mijoter 5 minutes. Retirez du feu.

Égouttez les pâtes soigneusement, puis versez-les dans la sauce et mélangez. Pour une sauce plus délicate et plus douce, ajoutez le beurre et remuez jusqu'à ce qu'il fonde. Servez sans attendre saupoudré de parmesan râpé ou arrosé d'un filet d'huile d'olive vierge extra.

Si vous préférez une sauce plus corsée, laissez mijoter 30 minutes. Le secret d'une bonne sauce tomate est soit de la cuire très peu de temps (comme ici) pour conserver intacte l'acidité des tomates, soit de la cuire longtemps, pour éliminer cette acidité. Cette sauce très simple s'adapte à vos envies : ajoutez-lui une bonne pincée de piment sec écrasé, 1 cuillerée à soupe d'origan avec l'ail ou encore, 10 feuilles de basilic déchirées avec les tomates.

spaghettis aux câpres et au citron

Pour **4 personnes**
Préparation **5 minutes**
Cuisson **10 à 12 minutes**

400 g de **spaghettis** secs
150 ml d'**huile d'olive**
   vierge extra
2 grosses gousses d'**ail**
   finement émincées
1 **piment rouge** frais
   épépiné et finement haché
2 1/2 c. à s. de **câpres**
   en saumure, rincées
   et égouttées
le **zeste** de 1 **citron**
   non traité coupé finement
sel

Faites cuire les pâtes dans une grande casserole d'eau bouillante salée en suivant les instructions de l'emballage jusqu'à ce qu'elles soient *al dente*.

Pendant ce temps, versez l'huile d'olive dans une grande poêle, ajoutez-y tous les autres ingrédients et faites chauffer à feu très doux. Laissez les arômes se développer 5 minutes. Si l'ail commence à colorer, retirez du feu et laissez infuser dans la poêle chaude.

Égouttez les pâtes, versez-les dans la poêle et mélangez bien à la sauce à l'huile. Servez aussitôt.

Pour une saveur de câpre plus subtile, utilisez 50 g de câprons (fruits du câprier) à la place des câpres.

carbonara de légumes

Pour **4 personnes**
Préparation **5 minutes**
Cuisson **15 minutes**

2 c. à s. d'**huile d'olive**
2 gousses d'**ail** finement
    hachées
3 **courgettes** coupées
    en fines rondelles
6 **oignons blancs** coupés
    en tronçons de 1 cm
400 g de **penne** sèches
4 **jaunes d'œufs**
100 ml de **crème fraîche**
75 g de **parmesan**
    fraîchement râpé
    + un peu pour servir
sel et **poivre noir**

Dans une poêle à fond épais, faites chauffer l'huile d'olive à feu moyen. Ajoutez l'ail, les courgettes et les oignons blancs, et laissez cuire 4 à 5 minutes en remuant jusqu'à ce que les courgettes soient tendres. Réservez.

Faites cuire les pâtes dans une grande casserole d'eau bouillante salée en suivant les instructions de l'emballage jusqu'à ce qu'elles soient *al dente*.

Pendant ce temps, cassez les œufs et mettez les jaunes dans un bol, salez et poivrez généreusement. Battez à la fourchette.

Juste avant que les pâtes soient cuites, replacez la poêle contenant les courgettes sur le feu. Incorporez la crème fraîche et portez à ébullition.

Égouttez les pâtes soigneusement, remettez-les dans la casserole et versez immédiatement les jaunes d'œufs battus, le parmesan et les courgettes à la crème. Mélangez énergiquement et servez aussitôt avec du parmesan râpé.

Pour une carbonara aux asperges, remplacez les courgettes par 250 g de pointes d'asperges. Coupez les pointes en tronçons de 2,5 cm, et faites-les cuire exactement de la même façon que les courgettes.

linguine courgettes gremolata

Pour **4 personnes**
Préparation **15 minutes**
Cuisson **12 minutes**

2 c. à s. d'**huile d'olive**
6 grosses **courgettes**
  coupées en rondelles
  épaisses
8 **oignons blancs** finement
  émincés
400 g de **linguine** sèches
copeaux de **parmesan** frais
  pour servir

Pour la gremolata
le **zeste** finement râpé
  de 2 **citrons** non traités
1 c. à s. d'**huile d'olive**
10 c. à s. de **persil plat**
  haché
2 gousses d'**ail** écrasées

Commencez par préparer la gremolata : mélangez tous les ingrédients dans un récipient.

Faites chauffer l'huile d'olive à feu vif dans une poêle antiadhésive, mettez-y les courgettes et faites cuire 10 minutes en remuant fréquemment, ou jusqu'à ce que les courgettes soient dorées. Ajoutez les oignons blancs et poursuivez la cuisson 1 à 2 minutes en remuant.

Pendant ce temps, faites cuire les pâtes dans une grande casserole d'eau bouillante salée en suivant les instructions de l'emballage jusqu'à ce qu'elles soient *al dente*.

Égouttez les pâtes soigneusement et versez-les dans un saladier de service. Ajoutez les courgettes, la gremolata et mélangez bien. Servez sans attendre parsemé de copeaux de parmesan.

Pour apporter une note asiatique à la gremolata, utilisez du zeste de citron vert finement râpé au lieu du zeste de citron, et remplacez le persil par de la coriandre.

spaghettis à la tomate sans cuisson

Pour **4 personnes**
Préparation **10 minutes**
Cuisson **10 à 12 minutes**

750 g de **tomates** bien
   mûres en quartiers
2 gousses d'**ail** pelées
10 feuilles de **basilic**
2 c. à c. de graines
   de **fenouil**
5 c. à s. d'**huile d'olive**
   vierge extra
400 g de **spaghettis** secs
2 boules de 150 g
   de **mozzarella**
   de bufflonne
   coupées en dés
sel et **poivre noir**

Placez les tomates, l'ail et le basilic dans un robot et mixez jusqu'à ce que les tomates soient hachées finement, mais pas en purée. Transvasez dans un saladier, ajoutez les graines de fenouil et l'huile d'olive. Salez et poivrez. Laissez les arômes infuser pendant au moins 15 minutes avant de cuire les pâtes.

Faites cuire les pâtes dans une grande casserole d'eau bouillante salée en suivant les instructions de l'emballage jusqu'à ce qu'elles soient *al dente*. Égouttez, versez dans la sauce et incorporez la mozzarella. Servez immédiatement.

Pour un goût de tomate plus relevé, remplacez 125 g de tomates par des tomates séchées.

pappardelle aux champignons

Pour **4 personnes**
Préparation **15 minutes**
Cuisson **12 à 25 minutes**

375 g de **champignons des bois** mélangés nettoyés
6 c. à s. d'**huile d'olive**
1 gousse d'**ail** finement émincée
1 **piment rouge** frais épépiné et finement haché
le **jus** de 1/2 **citron**
3 c. à s. de **persil plat** grossièrement haché
50 g de **beurre doux** en dés
400 g de **pappardelle** sèches ou maison (quantité de pâte pour 3 œufs, voir p. 10)
sel et **poivre noir**
copeaux de **parmesan** frais pour servir

Apprêtez les champignons, en éminçant les cèpes et en coupant les champignons grands et délicats comme les chanterelles ou les pleurotes.

Dans une grande poêle à fond épais, faites chauffer l'huile d'olive à feu doux. Ajoutez l'ail et le piment, et laissez infuser 5 minutes. Si l'ail commence à colorer, retirez du feu et laissez infuser dans la poêle chaude.

Montez à feu vif, ajoutez les champignons et faites revenir 3 à 4 minutes en remuant jusqu'à ce que les champignons soient dorés. Retirez du feu et versez le jus de citron, le persil et le beurre. Salez et poivrez.

Faites cuire les pâtes *al dente* dans une grande casserole d'eau bouillante salée en suivant les instructions de l'emballage si vous utilisez des pâtes sèches, ou 3 à 4 minutes pour des pâtes fraîches. Égouttez en réservant une louche d'eau de cuisson.

Remettez la poêle avec les champignons sur feu moyen et versez-y les pâtes. Mélangez bien, puis incorporez l'eau de cuisson réservée et remuez jusqu'à ce que les pâtes soient bien enrobées. Servez sans attendre avec les copeaux de parmesan.

Pour une sauce plus crémeuse, divisez par deux la quantité d'huile d'olive, et incorporez 200 g de crème fraîche dans les champignons au beurre. Portez à ébullition, retirez du feu, puis reprenez le fil de la recette.

pâtes tomates rôties ricotta

Pour **4 personnes**
Préparation **10 minutes**
Cuisson **15 à 20 minutes**

500 g de **tomates cerises**
   coupées en deux
4 c. à s. d'**huile d'olive**
   vierge extra
2 c. à c. de **thym** haché
4 gousses d'**ail** émincées
1 pincée de **piment** sec
   émietté
400 g de **pâtes** sèches
les feuilles de 1 bouquet
   de **basilic**, déchirées
125 g de **ricotta** émiettée
sel et **poivre noir**

Disposez les tomates sur une plaque allant au four et arrosez-les de l'huile, du thym de l'ail et du piment. Salez et poivrez. Faites rôtir 15 à 20 minutes au four préchauffé à 200 °C, faites rôtir jusqu'à ce qu'elles aient rendu leur liquide.

Pendant ce temps, faites cuire les pâtes dans une grande casserole d'eau bouillante salée en suivant les instructions de l'emballage jusqu'à ce qu'elles soient *al dente*. Égouttez et reversez dans la casserole.

Ajoutez les tomates avec leur jus de cuisson ainsi que la plus grande partie du basilic et mélangez délicatement. Salez, poivrez, et répartissez dans des assiettes creuses.

Hachez le basilic restant, mélangez-le à la ricotta, salez et poivrez. Servez à part dans un petit récipient pour que les convives se servent à leur guise.

Pour un plat aux tomates rôties et au fromage de chèvre, remplacez la ricotta par 125 g de fromage de chèvre frais. Cet accompagnement relevé et parfumé aux herbes peut se marier à toutes les formes et toutes les variétés de pâtes… ou presque.

petits gratins de macaronis

Pour **4 personnes**
Préparation **10 minutes**
Cuisson **20 minutes**

250 g de **macaronis** secs
125 g de **champignons
de Paris** émincés
1 gousse d'**ail** écrasée
150 ml de **crème liquide**
150 ml de **lait**
1 pincée de **noix
de muscade** fraîchement
râpée
175 g de **fromage** à pâte
dure (comme le cheddar
ou le gruyère) râpé
4 c. à s. de **basilic** haché
sel et **poivre noir**

Faites cuire les pâtes dans une grande casserole
d'eau bouillante salée en suivant les instructions
de l'emballage jusqu'à ce qu'elles soient *al dente*.

Pendant ce temps, faites chauffer une petite poêle
sur feu moyen, versez-y les champignons et faites-les
revenir à sec 5 minutes en remuant. Ajoutez l'ail
et poursuivez la cuisson en remuant 1 minute.
Incorporez la crème, le lait, la noix de muscade,
et portez juste au point d'ébullition.

Ajoutez alors 125 g de fromage et tout le basilic,
retirez du feu et mélangez jusqu'à ce que le fromage
ait fondu. Salez et poivrez.

Égouttez les pâtes et transvasez-les dans un saladier.
Versez la sauce et mélangez bien.

Répartissez dans des plats à gratin individuels,
saupoudrez du fromage restant et enfournez
dans un four préchauffé à 230 °C pour 10 minutes
jusqu'à ce que les gratins soient bien dorés.
Servez sans attendre.

Pour une variante non végétarienne, à la place
des champignons, utilisez 4 tranches de longe de porc
fumée, coupées en dés et cuites jusqu'à ce qu'elles
soient dorées, mais pas croustillantes, puis reprenez
le fil de la recette.

penne aux fèves et aux asperges

Pour **4 personnes**
Préparation **10 minutes**
Cuisson **12 à 15 minutes**

300 g de **penne** sèches
500 g d'**asperges** parées
et coupées en petits
tronçons
4 c. à s. d'**huile d'olive**
250 g de **fèves** fraîches
écossées ou de **petits
pois**
75 ml de **crème épaisse**
75 g de **parmesan**
fraîchement râpé
4 c. à s. de **menthe** ciselée
sel et **poivre noir**

Faites cuire les pâtes dans une grande casserole
d'eau bouillante salée en suivant les instructions
de l'emballage jusqu'à ce qu'elles soient *al dente*.

Pendant ce temps, disposez les asperges sur
un plat allant au four, badigeonnez-les généreusement
d'huile d'olive, salez et poivrez. Placez sous le gril
préchauffé et faites cuire 8 minutes en retournant
les asperges lorsqu'elles sont dorées.

Faites cuire les fèves ou les petits pois dans une autre
casserole d'eau bouillante salée 2 minutes. Égouttez.

Égouttez les pâtes, versez la crème dans la casserole
vide que vous aurez remise sur le feu, ajoutez
les fèves ou les petits pois cuits, les asperges
et le parmesan, salez et poivrez. Versez les pâtes
sur la préparation, ajoutez la menthe et mélangez
bien à l'aide de deux cuillères en bois. Servez aussitôt.

Pour une variante aux asperges grillées, faites
chauffer une poêle-gril à feu vif, badigeonnez d'huile
d'olive, posez les asperges de façon à ne pas
les superposer, et faites-les griller en les retournant
de temps en temps, et en ajoutant un peu d'huile,
jusqu'à ce qu'elles soient légèrement grillées sur
toutes les faces et tendres tout en restant fermes.

orecchiette en sauce aux noix

Pour **4 personnes**
Préparation **5 minutes**
Cuisson **10 à 12 minutes**

375 g d'**orecchiette** sèches
50 g de **beurre**
15 feuilles de **sauge** grossièrement hachées
2 gousses d'**ail** finement hachées
125 g de **noix** finement concassées
150 ml de **crème liquide**
65 g de **parmesan** fraîchement râpé
sel et **poivre noir**

Faites cuire les pâtes dans une grande casserole d'eau bouillante salée en suivant les instructions de l'emballage jusqu'à ce qu'elles soient *al dente*.

Pendant ce temps, faites fondre le beurre dans une poêle sur feu moyen. Lorsqu'il commence à fumer et à grésiller, mettez-y la sauge et l'ail, et faites cuire 1 à 2 minutes en remuant. Retirez du feu et ajoutez les noix, la crème et le parmesan.

Égouttez les pâtes et mélangez-les à la sauce. Salez, poivrez et servez sans attendre.

Si vous avez envie de pâtes farcies, servez cette sauce aux noix avec des raviolis ou des tortellini farcis à la ricotta, à la viande ou aux champignons.

tagliatelles aux cèpes et à la tomate

Pour **4 personnes**
Préparation **10 minutes**
+ temps de trempage
Cuisson **35 minutes**

25 g de **cèpes** secs
200 ml d'**eau bouillante**
2 c. à s. d'**huile d'olive**
2 gousses d'**ail** finement
    hachées
2 c. à s. de **thym**
    grossièrement haché
2 x 400 g de **tomates
    cerises** ou de dés
    de tomates en boîte
400 g de **tagliatelles** sèches
    ou maison (quantité
    de pâte pour 3 œufs,
    voir p. 10)
40 g de **beurre doux** coupé
    en dés
sel et **poivre noir**
parmesan fraîchement râpé
    pour servir

Faites gonfler les cèpes dans l'eau bouillante
10 minutes environ. Égouttez-les, réservez l'eau de
trempage et épongez-les pour retirer l'excédent d'eau.

Faites chauffer l'huile d'olive dans une poêle à fond
épais, ajoutez le thym et l'ail et remuez 30 secondes.
Ajoutez les cèpes, salez, poivrez et faites revenir
1 minute, en remuant. Versez l'eau de trempage
réservée et les tomates. Portez à ébullition, baissez
à feu très doux et laissez mijoter 30 minutes,
à découvert, pour que la sauce épaississe,
en ajoutant un peu d'eau si elle commence à attacher.
Rectifiez l'assaisonnement.

Juste avant que la sauce soit prête, faites cuire
les pâtes dans une grande casserole d'eau bouillante
salée jusqu'à ce qu'elles soient *al dente* en suivant
les instructions de l'emballage si vous utilisez des
pâtes sèches, ou 2 minutes pour des pâtes fraîches.
Égouttez en réservant une louche d'eau de cuisson.

Remettez les pâtes dans la casserole et faites chauffer
à feu doux. Versez la sauce aux cèpes à la tomate
et le beurre. Mélangez bien. Ajoutez l'eau de cuisson
réservée et remuez quelques secondes jusqu'à ce
que les pâtes soient bien enrobées et aient un aspect
onctueux. Servez sans attendre saupoudré
de parmesan râpé.

Pour une sauce plus légère, remplacez l'une des
boîtes de tomate par 400 ml de bouillon de légumes.

pesto classique au basilic

Pour **4 personnes**
Préparation **2 minutes**
Cuisson **10 à 12 minutes**

400 g de **trofie** (pâtes
    de Ligurie) sèches
75 g de feuilles de **basilic**
50 g de **pignons de pin**
2 gousses d'**ail**
50 g de **parmesan**
    fraîchement râpé
    + un peu pour servir
100 ml d'**huile d'olive**
sel et **poivre noir**
feuilles de **basilic**
    pour décorer

Faites cuire les pâtes dans une grande casserole d'eau bouillante salée en suivant les instructions de l'emballage jusqu'à ce qu'elles soient *al dente*.

Pendant ce temps, mettez le basilic, les pignons et l'ail dans un robot et mixez jusqu'à obtenir d'une pâte homogène. Transvasez dans un bol et ajoutez le parmesan et l'huile d'olive. Salez et poivrez.

Égouttez les pâtes en réservant une louche de l'eau de cuisson et replacez-les dans la casserole. Versez le pesto, en ajoutant la quantité d'eau de cuisson réservée nécessaire pour assouplir le mélange. Servez aussitôt saupoudré de parmesan et décoré de feuilles de basilic.

La variante aux pommes de terre et aux haricots verts est une manière traditionnelle d'accommoder le pesto à Gênes. Commencez tout d'abord par faire cuire 250 g de pommes de terre épluchées et coupées en rondelles dans une grande casserole d'eau bouillante pendant 5 minutes, puis ajoutez-y les pâtes et faites-les cuire jusqu'à ce qu'elles soient *al dente*. Cinq minutes avant la fin de la cuisson, ajoutez 150 g de haricots verts dans l'eau de cuisson. Égouttez le tout et incorporez le pesto comme décrit dans la recette. Les pâtes de forme longue, comme les linguine sont les mieux adaptées à cette variante.

pesto cresson fromage de chèvre

Pour **4 personnes**
Préparation **10 minutes**
Cuisson **10 à 12 minutes**

375 g de **fusilli** secs
50 g de **pignons** grillés
  + un peu pour servir
1 gousse d'**ail**
  grossièrement hachée
150 g de **cresson**
  + quelques brins
  pour servir
7 c. à s. d'**huile d'olive**
  vierge extra
150 g de **fromage
  de chèvre** frais
  + un peu pour servir
sel et **poivre noir**

Faites cuire les pâtes dans une grande casserole d'eau bouillante salée en suivant les instructions de l'emballage jusqu'à ce qu'elles soient *al dente*.

Pendant ce temps, placez les pignons, l'ail et le cresson dans un robot avec une bonne pincée de sel. Mixez 15 secondes jusqu'à ce que le mélange soit grossièrement haché. Versez l'huile en filet en continuant à mixer 20 secondes de plus.

Égouttez les pâtes et versez-les dans un saladier. Émiettez-y le fromage de chèvre et mélangez bien. Poivrez, puis versez le pesto dans les pâtes bien chaudes. Répartissez dans les 4 assiettes de service et servez aussitôt parsemé de miettes de fromage de chèvre et de pignons et décoré de brins de cresson.

**Pour un pesto au fromage de chèvre
et à la roquette,** remplacez le cresson par 150 g de roquette sauvage. Prenez garde à ne pas trop mixer le cresson (ou la roquette) et les pignons, car le pesto est meilleur s'il conserve une texture hétérogène.

pâtes trévise chapelure au fromage

Pour **2 personnes**
Préparation **10 minutes**
Cuisson **13 minutes**

175 g de **spaghettis** secs
65 g de **beurre**
25 g de **miettes de pain blanc** frais
15 g de **parmesan** fraîchement râpé
2 **échalotes** finement émincées
1 gousse d'**ail** coupée en lamelles
1 **trévise** coupée en lanières
1 filet de **jus de citron**
sel et **poivre noir**

Faites cuire les pâtes dans une grande casserole d'eau bouillante salée en suivant les instructions de l'emballage jusqu'à ce qu'elles soient *al dente*.

Pendant ce temps, faites fondre la moitié du beurre dans une poêle, ajoutez les miettes de pain et faites dorer 5 minutes en remuant jusqu'à ce qu'elles soient bien dorées et croustillantes. Versez les miettes dans un bol, laissez refroidir légèrement puis ajoutez le parmesan.

Faites fondre le reste du beurre à feu doux dans une grande casserole ou un wok, ajoutez les échalotes et l'ail et faites revenir 5 minutes en remuant de temps en temps. Ajoutez la trévise, le jus de citron, salez et poivrez. Faites revenir 2 minutes en remuant.

Égouttez les pâtes en réservant 2 cuillerées à soupe de l'eau de cuisson. Versez les pâtes et l'eau de cuisson réservée sur la préparation à la trévise, et remuez bien sur le feu. Servez immédiatement, en saupoudrant de la chapelure au fromage.

Pour un plat aux épinards et à la chapelure au fromage, remplacez la trévise par 250 g d'épinards.

rigatoni à l'aubergine et à la ricotta

Pour **4 personnes**
Préparation **5 minutes**
Cuisson **35 minutes**

2 grosses **aubergines**
huile d'olive pour la friture
2 gousses d'**ail** finement
   hachées
2 x 400 g de **dés**
   de tomates en boîte
20 feuilles de **basilic**
   déchirées
400 g de **rigatoni** secs
200 g de **ricotta** émiettée
3 c. à s. de **pecorino**
   fraîchement râpé
sel et **poivre noir**

Coupez les aubergines en quatre dans la longueur,
puis chaque quartier encore en deux dans la longueur.
Coupez les morceaux obtenus en tronçons.

Dans une grande poêle, faites chauffer 1 cm
d'huile à feu vif jusqu'à ce que la surface frémisse.
Faites-y frire les aubergines, en plusieurs fois.
Retirez à l'aide d'une écumoire et déposez
sur un plat recouvert de papier absorbant.

Faites chauffer à feu moyen 1 cuillerée à soupe
d'huile dans une grande poêle à fond épais,
ajoutez l'ail et faites cuire 30 secondes en remuant.
Ajoutez les aubergines, salez, poivrez, puis versez
les tomates. Portez à ébullition, baissez le feu et
laissez mijoter à découvert 20 minutes jusqu'à ce
que la sauce épaississe. Retirez du feu, incorporez
la moitié du basilic et rectifiez l'assaisonnement.

Juste avant que la sauce soit prête, faites cuire
les pâtes *al dente* dans une grande casserole d'eau
bouillante salée. Égouttez, réservez une louche
d'eau de cuisson. Versez les pâtes dans la sauce et
mélangez à feu doux. Versez l'eau de cuisson réservée
et remuez pour bien enrober les pâtes. Servez sans
attendre parsemé de ricotta, de pecorino et du basilic.

Pour une sauce plus légère, faites cuire
les morceaux d'aubergines sur un gril au lieu
de les frire, en utilisant la méthode décrite
à la première étape de la recette de la salade de
pâtes aux aubergines et aux courgettes (voir p. 36).

pâtes à l'ail, à l'huile et au piment

Pour **4 à 6 personnes**
Préparation **5 minutes**
Cuisson **8 minutes**

400 à 600 g de **spaghettis**
secs
125 ml d'**huile d'olive**
2 gousses d'**ail** finement
hachées
2 petits **piments rouges**
séchés épépinés et hachés
2 c. à s. de **persil** haché
sel et **poivre noir**

Faites cuire les pâtes dans une grande casserole
d'eau bouillante salée en suivant les instructions
de l'emballage jusqu'à ce qu'elles soient *al dente*.

Pendant ce temps, faites chauffer l'huile d'olive à feu
doux dans une casserole, ajoutez l'ail, 1 pincée de
sel et faites revenir en remuant de temps en temps,
jusqu'à ce qu'il prenne une coloration dorée. Attention,
si l'ail brunit trop, il deviendra amer. Ajoutez le piment.

Égouttez les pâtes et versez-les dans la casserole
contenant l'ail, l'huile et le piment qui doivent
être chauds, sans toutefois grésiller. Poivrez
généreusement, ajoutez le persil et mélangez
bien. Servez immédiatement.

Pour une variante romaine vraiment traditionnelle,
ne mettez ni poivre noir ni persil. Si vous aimez
les plats plus frais et plus relevés, vous pouvez
aussi ajouter 1 poignée de roquette avec le poivre.

fettuccine all'Alfredo

Pour **4 personnes**
Préparation **5 minutes**
Cuisson **5 à 15 minutes**

400 g de **fettuccine**
   ou de **tagliatelles** sèches
   ou maison (quantité
   de pâte pour 3 œufs,
   voir p. 10)
50 g de **beurre doux**
200 ml de **crème épaisse**
1 bonne pincée de **noix
   de muscade** fraîchement
   râpée
50 g de **parmesan**
   fraîchement râpé
   + un peu pour servir
6 c. à s. de **lait**
sel et **poivre noir**

Faites cuire les pâtes dans une grande casserole d'eau bouillante salée jusqu'à ce qu'elles soient *al dente*. Suivez les instructions de l'emballage si vous utilisez des pâtes sèches, ou faites cuire 2 minutes pour des pâtes fraîches.

Pendant ce temps, faites fondre le beurre dans une grande poêle à fond épais. Versez la crème et portez à ébullition. Réduisez le feu et laissez frémir 1 minute jusqu'à ce que la crème épaississe légèrement.

Égouttez les pâtes soigneusement, versez-les dans la crème et mélangez à feu très doux. Ajoutez la noix de muscade, le parmesan et le lait, salez et poivrez. Remuez délicatement jusqu'à ce que la sauce épaississe et que les pâtes soient bien enrobées. Servez immédiatement saupoudré de parmesan.

Pour égayer votre sauce Alfredo, ajoutez-lui divers ingrédients comme des tomates séchées et tranchées, des tranches très fines de jambon de Parme et/ou des pointes d'asperges blanchies. Tous seront délicieux.

linguine au chèvre et aux herbes

Pour **4 personnes**
Préparation **5 minutes**
Cuisson **10 à 12 minutes**

250 g de **linguine** sèches
300 g de **fromage**
  de chèvre à pâte ferme
1 **citron**
75 g de **beurre**
2 c. à s. d'**huile d'olive**
  + un filet pour le plat
3 **échalotes** finement
  émincées
2 gousses d'**ail** écrasées
25 g d'**herbes mélangées**
  hachées (estragon,
  cerfeuil, persil ou aneth)
3 c. à s. de **câpres**
  en saumure, rincées
  et égouttées
sel et **poivre noir**

Faites cuire les pâtes dans une grande casserole d'eau bouillante salée en suivant les instructions de l'emballage jusqu'à ce qu'elles soient *al dente*.

Pendant ce temps, coupez le fromage de chèvre en tranches épaisses et disposez-les sur une grille de cuisson recouverte de papier d'aluminium légèrement huilé. Passez 2 minutes au gril, préchauffé au préalable. Réservez au chaud.

À l'aide d'un couteau zesteur, prélevez le zeste du citron, puis pressez-le.

Faites fondre le beurre avec l'huile d'olive dans une poêle ou une sauteuse à feu moyen. Faites revenir les échalotes et l'ail 3 minutes en remuant. Ajoutez les herbes, les câpres et le jus de citron. Salez et poivrez.

Égouttez les pâtes rapidement de façon à ce qu'elles conservent de l'eau et n'assèchent pas la sauce, et reversez-les dans la casserole. Ajoutez le fromage de chèvre et le mélange d'herbes, et mêlez délicatement tous les ingrédients. Servez sans attendre saupoudré du zeste de citron.

Pour une version avec une seule herbe,
utilisez 25 g de basilic ou d'origan au lieu du mélange d'herbes proposé dans la recette.

raviolis à la tomate et à la crème

Pour **4 personnes**
Préparation **10 minutes**
Cuisson **25 minutes**

15 g de **beurre doux**
1 c. à s. d'**huile d'olive**
1/2 **oignon** finement haché
1/2 branche de **céleri**
  finement hachée
350 ml de **passata**
  (purée de tomates)
1 bonne pincée de **sucre
  en poudre**
250 g de **raviolis** frais aux
  épinards et à la ricotta
100 ml de **crème épaisse**
1 bonne pincée de **noix
  de muscade** fraîchement
  râpée
sel et **poivre noir**
copeaux frais de **parmesan**
  pour servir
feuilles de **basilic**
  pour décorer

Faites fondre le beurre avec l'huile d'olive à feu doux dans une casserole à fond épais. Ajoutez l'oignon et le céleri, et faites cuire 10 minutes, en remuant de temps en temps, jusqu'à ce que les légumes soient tendres, mais pas colorés. Versez la passata et le sucre, et portez à ébullition. Baissez le feu et laissez mijoter 10 minutes à découvert jusqu'à ce que le mélange épaississe. Salez et poivrez.

Faites cuire les raviolis dans une grande casserole d'eau bouillante salée en suivant les instructions de l'emballage jusqu'à ce qu'ils soient *al dente*. Pendant ce temps, incorporez la crème à la sauce et portez à ébullition. Ajoutez la noix de muscade et retirez du feu.

Égouttez les pâtes soigneusement et transvasez dans un plat de service. Arrosez de la sauce et servez immédiatement parsemé de copeaux de parmesan et décoré de feuilles de basilic.

Pour un plat plus croquant, agrémentez la sauce de 1 cuillerée à soupe d'amandes effilées grillées avant de servir. Des tortellini à la viande ou des gnocchis se marieront à merveille avec cette sauce à la tomate.

rigatoni aux courgettes et à la feta

Pour **4 personnes**
Préparation **15 minutes**
Cuisson **10 à 12 minutes**

375 g de **rigatoni** secs
3 **courgettes** coupées
   en tranches de 1 cm
6 c. à s. d'**huile d'olive**
2 branches de **thym
   citronné**
1/2 **citron** dont vous
   presserez le jus
200 g de **feta** en dés
12 **olives vertes**
   dénoyautées
   et grossièrement hachées
sel et **poivre noir**

Faites cuire les pâtes dans une grande casserole d'eau bouillante salée en suivant les instructions de l'emballage jusqu'à ce qu'elles soient *al dente*. Égouttez soigneusement.

Pendant ce temps, placez les courgettes dans un saladier et arrosez-les de 1 cuillérée à soupe d'huile d'olive. Faites chauffer une poêle-gril à feu vif jusqu'à ce qu'elle fume. Posez-y les tranches de courgettes et faites griller 2 à 3 minutes sur chaque face.

Replacez les tranches de courgettes dans le saladier. Arrosez de l'huile restante, effeuillez le thym citronné et pressez le citron au-dessus des courgettes. Salez et poivrez.

Égouttez les pâtes et versez-les dans le saladier avec la feta et les olives. Mélangez bien et servez sans attendre.

Si vous ne trouvez pas de thym citronné,
utilisez du thym classique et ajoutez un peu de zeste de citron finement râpé. Les courgettes grillées apportent une saveur particulière au plat et des rayures lui donnent une touche « comme au restaurant », mais vous pouvez aussi les faire frire si vous le préférez.

gnocchis dolcelatte épinards

Pour **4 personnes**
Préparation **5 minutes**
Cuisson **20 minutes**

500 g de **gnocchis**
   du commerce ou
   traditionnels à la pomme
   de terre (voir p. 218)
15 g de **beurre doux**
125 g de pousses
   d'**épinards**
1 bonne pincée de **noix
   de muscade** fraîchement
   râpée
175 g de **dolcelatte** coupé
   en dés
125 ml de **crème épaisse**
3 c. à s. de **parmesan**
   fraîchement râpé
sel et **poivre noir**

Faites cuire les gnocchis dans une grande
casserole d'eau bouillante salée jusqu'à ce qu'ils
remontent à la surface. Suivez les instructions
de l'emballage pour des gnocchis du commerce,
ou faites cuire 2 à 3 minutes les gnocchis maison.
Égouttez soigneusement.

Pendant ce temps, faites fondre le beurre
dans une casserole à feu vif. Dès qu'il commence
à grésiller, ajoutez les épinards et faites revenir
1 minute en remuant. Retirez du feu, ajoutez
la noix de muscade, salez, poivrez, puis incorporez
le dolcelatte, la crème et les gnocchis.

Transvasez le tout dans un plat allant au four
et saupoudrez de parmesan. Préchauffez le four
à 220 °C, et enfournez pour 12 à 15 minutes, jusqu'à
ce que la sauce soit bouillante et bien dorée.

Pour un plat plus frais et plus rapide, incorporez
10 feuilles de basilic aux gnocchis à la fin de la
deuxième étape et servez sans passer au four.

pesto trapanese

Pour **4 personnes**
Préparation **10 minutes**
Cuisson **10 à 12 minutes**

400 g de **spaghettis** secs
2 gousses d'**ail** pelées
50 g de feuilles de **basilic**
    + quelques-unes
    pour décorer
2 **piments rouges** frais
    épépinés
400 g de **tomates** bien
    mûres grossièrement
    hachées
150 g d'**amandes** non
    mondées grossièrement
    broyées
150 ml d'**huile d'olive**
    vierge extra
pecorino fraîchement râpé
    pour servir (facultatif)
sel

Faites cuire les pâtes dans une grande casserole d'eau bouillante salée en suivant les instructions de l'emballage jusqu'à ce qu'elles soient *al dente*.

Pendant ce temps, mixez au robot l'ail, le basilic, le piment et les tomates jusqu'à ce que les ingrédients soient grossièrement hachés, sans former une pâte homogène. Ajoutez les amandes et l'huile d'olive, et salez.

Égouttez les pâtes et remettez-les dans la casserole. Ajoutez le pesto et mélangez bien. Servez immédiatement parsemé, si vous le souhaitez, d'un peu de pecorino râpé et décoré de feuilles de basilic.

Pour une salade de pâtes à la tomate, aux amandes et au basilic, passez simplement les spaghettis sous un filet d'eau froide avant de les mélanger au pesto. Pour une sauce moins lisse, hachez grossièrement tous les ingrédients à la main au lieu de les mixer.

puttanesca

Pour **4 personnes**
Préparation **10 minutes**
Cuisson **20 minutes**

2 c. à s. de **câpres** au sel
  ou en saumure
4 c. à s. d'**huile d'olive**
1 grosse pincée de **piments
secs** écrasés
1 gousse d'**ail** écrasée
8 filets d'**anchois** à l'huile,
  égouttés et coupés
  grossièrement
400 g de **dés de tomates**
  en boîte
75 g d'**olives noires**
  dénoyautées
  grossièrement coupées
400 g de **spaghettis** secs
sel

Rincez les câpres et, si celles-ci sont au sel,
faites-les tremper dans l'eau froide 5 minutes,
puis égouttez-les ; si vous utilisez des câpres en
saumure, rincez-les simplement puis égouttez-les.

Pendant ce temps, faites chauffer l'huile d'olive à feu
doux dans une grande poêle. Ajoutez les piments, l'ail
et les anchois, et faites cuire 2 minutes en remuant,
jusqu'à ce que les anchois commencent à fondre dans
l'huile. Cuisez à feu vif, versez les câpres et faites cuire
1 minute en remuant. Ajoutez les tomates et les olives,
salez, et portez à ébullition. Laissez la sauce bouillir à
gros bouillons pendant que vous faites cuire les pâtes.

Faites cuire les pâtes dans une grande casserole
d'eau bouillante salée en suivant les instructions
de l'emballage jusqu'à ce qu'elles soient *al dente*.
Égouttez en réservant une louche de l'eau de cuisson.
Versez les pâtes dans la sauce et remuez bien. Ajoutez
l'eau de cuisson des pâtes et continuez à remuer
jusqu'à ce que les pâtes soient bien enrobées et
prennent un aspect onctueux. Servez immédiatement.

Pour une puttanesca au thon, ajoutez à la sauce
200 g de thon en boîte égoutté. Versez-le dans
la poêle au même moment que les câpres.

pâtes au mascarpone et aux herbes

Pour **4 personnes**
Préparation **5 minutes**
Cuisson **10 à 20 minutes**

1 c. à s. d'**huile d'olive**
10 **tomates séchées**
   à l'huile, finement coupées
2 gousses d'**ail** écrasées
200 g de **mascarpone**
125 ml de **lait**
4 c. à s. d'**herbes
aromatiques** hachées
   (mélange de persil plat,
   basilic, ciboulette, thym
   et/ou cerfeuil)
400 g de **tagliatelles**
   ou de **fettuccine**, sèches
   ou maison (quantité
   de pâte pour 3 œufs,
   voir p. 10)
3 c. à s. de **parmesan**
   fraîchement râpé
   + un peu pour servir
sel et **poivre noir**

Versez l'huile d'olive dans une grande poêle, ajoutez les tomates et l'ail, puis mettez à feu très doux. Laissez les arômes se diffuser 5 minutes. Si l'ail commence à blondir, retirez du feu et laissez infuser dans la poêle chaude. Ajoutez le mascarpone et le lait, et remuez jusqu'à ce que le mascarpone soit fondu. Retirez du feu et versez les herbes dans la sauce. Salez et poivrez.

Faites cuire les pâtes dans une grande casserole d'eau bouillante salée jusqu'à ce qu'elles soient *al dente*, en suivant les instructions de l'emballage si vous utilisez des pâtes sèches, ou 2 minutes pour des pâtes fraîches. Égouttez, en réservant une louche de l'eau de cuisson.

Remettez la poêle avec la sauce sur feu doux et versez-y les pâtes et le parmesan et mélangez bien. Ajoutez une partie de l'eau de cuisson des pâtes pour donner à la sauce une consistance onctueuse. Servez immédiatement avec du parmesan râpé.

Pour un goût plus prononcé, faites cuire une poignée de champignons de Paris émincés avec les tomates séchées.

pâtes au blé complet et au chou

Pour **4 personnes**
Préparation **15 minutes**
Cuisson **25 minutes**

250 g de **pommes de terre**
épluchées et coupées
en dés de 2,5 cm
375 g de **pâtes** sèches
au blé complet, de la
forme de votre choix
300 g de **chou de Milan**
coupé en lanières
1 c. à s. d'**huile d'olive**
2 gousses d'**ail** finement
hachées
200 g de **mascarpone**
200 g de **gorgonzola**
émietté
sel et **poivre noir**
parmesan fraîchement râpé
pour servir

Faites cuire les pommes de terre dans une grande casserole d'eau bouillante salée 5 minutes, puis ajoutez les pâtes et faites-les cuire jusqu'à ce qu'elles soient *al dente*. Ajoutez le chou 5 minutes avant la fin du temps de cuisson.

Pendant ce temps, faites chauffer l'huile à feu doux dans une petite casserole. Ajoutez l'ail et, lorsqu'il commence à colorer, le mascarpone et le gorgonzola, et remuez jusqu'à ce qu'ils aient fondu. Retirez du feu.

Juste avant d'égoutter les pâtes, versez une louche de l'eau de cuisson dans la sauce au fromage. Égouttez les pâtes et transvasez-les dans un grand saladier de service. Ajoutez la sauce au fromage, remuez bien et servez immédiatement saupoudré de parmesan.

Pour un plat plus simple, combinez les pâtes au blé complet avec une sauce all'Alfredo (voir p. 168). Ces pâtes se marient particulièrement bien avec des sauces onctueuses.

pesto poivron rouge pecorino

Pour **4 personnes**
Préparation **10 minutes**
Cuisson **25 minutes**

5 **poivrons rouges**
1 c. à s. d'**huile d'olive**
   vierge extra
   + un filet pour servir
50 g d'**amandes** mondées
1 gousse d'**ail** épluchée
30 g de **pecorino**
   fraîchement râpé
400 g de **penne** sèches
65 g de **roquette** sauvage
sel et **poivre noir**

Frottez les poivrons avec l'huile d'olive et faites-les cuire sous un gril préchauffé très chaud, en les retournant de temps en temps jusqu'à ce qu'ils soient entièrement noirs et recouverts de cloques. Disposez les poivrons dans un saladier, couvrez de film plastique et laissez reposer 5 minutes. Leur peau sera plus facile à retirer.

Lorsque les poivrons ont assez refroidis pour être travaillés, retirez la peau. Coupez l'un des poivrons en lamelles en retirant le cœur blanc et les pépins ; réservez. Parez les autres poivrons.

Mettez les poivrons parés dans un robot avec les amandes, l'ail et le pecorino, et mixez jusqu'à ce que le mélange soit lisse. Salez et poivrez. Versez dans un saladier de service.

Faites cuire les pâtes dans une grande casserole d'eau bouillante salée, en suivant les instructions l'emballage jusqu'à ce qu'elles soient *al dente*. Égouttez les pâtes et ajoutez-les à la sauce avec le poivron en lamelles et la roquette. Mélangez bien. Servez immédiatement agrémenté d'un généreux filet d'huile d'olive.

Pour une variante plus rapide, utilisez des poivrons déjà cuits. Le goût ne sera pas aussi frais et intense, mais le plat sera néanmoins délicieux. Vous aurez besoin de 250 g de poivrons cuits égouttés.

fetuccine à la sauce au gorgonzola

Pour **4 personnes**
Préparation **5 minutes**
Cuisson **12 à 14 minutes**

500 g de **fettucine**
ou d'autres pâtes ruban
sèches de votre choix
25 g de **beurre**
+ un peu pour servir
250 g de **gorgonzola**
émietté
150 ml de **crème fraîche
épaisse**
2 c. à s. de **vermouth sec**
1 c. à c. de **Maïzena**
2 c. à s. de feuilles de **sauge**
hachées + quelques-unes
pour décorer
sel et **poivre noir**

Faites cuire les pâtes dans une grande casserole d'eau bouillante salée, en suivant les instructions de l'emballage jusqu'à ce qu'elles soient *al dente*.

Pendant ce temps, faites fondre le beurre à feu très doux dans une casserole à fond épais. Ajoutez le gorgonzola et faites chauffer 2 à 3 minutes jusqu'à ce que le fromage soit fondu.

Ajoutez la crème, le vermouth et la Maïzena ; fouettez bien pour que le mélange soit homogène. Ajoutez la sauge. Faites cuire en fouettant constamment jusqu'à ce que la sauce bouille et épaississe. Salez et poivrez, puis retirez du feu.

Égouttez les pâtes et ajoutez une noix de beurre. Réchauffez la sauce à feu doux en fouettant bien. Versez-la sur les pâtes et mélangez. Servez immédiatement décoré de feuilles de sauge.

Pour une sauce plus crémeuse et plus douce, remplacez le gorgonzola par 250 g de dolcelatte.

gâteau de penne et d'aubergines

Pour **4 à 6 personnes**
Préparation **30 minutes**
  + temps de repos
Cuisson **40 minutes**

huile d'olive pour la friture
3 grosses **aubergines**
  coupées en tranches
  de 5 mm
1 1/2 c. à s. d'**origan** sec
375 g de **penne**
  ou de **rigatoni** secs
1 mesure de **sauce tomate
  éclair** (voir p. 136)
2 boules de 150 g
  de **mozzarella**,
  grossièrement coupées
75 g de **parmesan**
  fraîchement râpé
2 c. à s. de **miettes de pain
  blanc** frais
sel et **poivre noir**

Faites chauffer 1 cm d'huile à feu vif dans une grande poêle jusqu'au frémissement léger. Faites frire les aubergines, en plusieurs fois, jusqu'à ce qu'elles soient dorées des deux côtés. Retirez-les à l'aide d'une écumoire, et égouttez sur un plat recouvert de papier absorbant. Saupoudrez d'origan et salez légèrement.

Faites cuire les pâtes dans une grande casserole d'eau bouillante salée jusqu'à ce qu'elles soient presque *al dente*. Égouttez, puis versez dans un saladier avec la sauce tomate, la mozzarella et le parmesan. Salez et poivrez.

Pendant ce temps, tapissez d'aubergines le fond et les bords d'un moule à fond amovible de 18 cm de diamètre. Chevauchez légèrement les tranches afin qu'il n'y ait pas d'interstice, puis remplissez le moule de pâtes à la sauce. Tassez bien les pâtes, puis recouvrez avec les aubergines restantes.

Saupoudrez les miettes de pain sur le dessus et faites cuire 15 minutes sur une plaque à pâtisserie dans un four préchauffé à 200 °C. Laissez reposer le gâteau 15 minutes avant de servir. N'essayez pas de le démouler en tenant le fond du moule, car vous auriez toute chance de le voir s'effondrer.

Pour un gâteau de courgettes et de rigatoni,
remplacez les aubergines par 6 à 7 grosses courgettes et coupez-les en tranches longues avant de les faire frire.

lasagnes champignons mozzarella

Pour **4 personnes**
Préparation **20 minutes**
Cuisson **20 minutes**

8 feuilles de **lasagnes**
  sèches
50 g de **beurre**
2 c. à s. d'**huile d'olive**
  + un filet pour servir
2 **oignons** émincés
2 gousses d'**ail** écrasées
500 de **champignons
  de Paris** émincés
4 c. à s. de **crème épaisse**
4 c. à s. de **vin blanc sec**
1 c. à c. de **thym** haché
2 **poivrons rouges**, rôtis
  au four, sans la peau,
  le cœur blanc
  et les pépins, et coupés
  en lamelles épaisses
  (voir p. 186)
125 g de **pousses**
  d'**épinards** coupés
125 g de **mozzarella**
  de bufflonne en tranches
50 g de **parmesan**
  fraîchement coupé
  en copeaux
sel et **poivre noir**

Faites cuire les feuilles de pâtes en plusieurs fois dans une grande casserole d'eau bouillante salée, en suivant les instructions de l'emballage jusqu'à ce qu'elles soient juste *al dente*. Égouttez, passez sous l'eau froide, et placez sur un torchon propre pour les égoutter complètement. Disposez 4 feuilles dans le fond d'un grand plat bien huilé allant au four.

Pendant ce temps, faites fondre le beurre avec l'huile d'olive à feu moyen dans une casserole. Faites revenir les oignons 3 minutes en remuant. Ajoutez l'ail et faites revenir 1 minute de plus. Versez les champignons, montez à feu vif et faites cuire 5 minutes. Ajoutez la crème, le vin blanc et le thym, salez et poivrez. Laissez mijoter 4 minutes.

Placez 1 généreuse cuillérée de la préparation aux champignons sur chaque feuille de pâte, avec quelques tranches de poivron rouge et la moitié des épinards. Recouvrez avec les feuilles de lasagnes restantes. Ajoutez le reste des épinards, 1 tranche de mozzarella et finissez par un peu du mélange aux champignons. Parsemez de copeaux de parmesan.

Placez sous un gril préchauffé très chaud et faites cuire 5 minutes, ou jusqu'à ce que la préparation aux champignons bouille et que le parmesan soit doré. Servez immédiatement.

Pour un goût plus prononcé, remplacez la mozzarella par 125 g de fontina.

pâtes tomates fraîches basilic

Pour **4 personnes**
Préparation **10 minutes**
Cuisson **17 à 20 minutes**

3 c. à s. d'**huile d'olive**
2 gousses d'**ail** finement
   hachées
1 kg de **tomates** oblongues
   très mûres, pelées
   et coupées en morceaux
2 c. à c. de **vinaigre
   balsamique** vieux
   de bonne qualité
30 feuilles de **basilic** environ
400 g de **pâtes sèches**
   de votre choix
sel et **poivre noir**
parmesan fraîchement râpé
   ou un filet d'**huile d'olive**
   pour servir

Faites chauffer l'huile d'olive à feu vif dans une grande poêle, faites-y revenir l'ail 30 secondes en remuant. Versez les tomates. Portez à ébullition, salez et poivrez, puis laissez cuire 6 à 7 minutes, en écrasant légèrement les tomates afin de libérer leur jus.

Retirez du feu et ajoutez le vinaigre et le basilic. Laissez l'arôme du basilic se diffuser dans la sauce pendant la cuisson des pâtes.

Faites cuire les pâtes dans une grande casserole d'eau bouillante salée, en suivant les instructions de l'emballage jusqu'à ce qu'elles soient *al dente*. Transvasez la sauce dans un saladier de service. Égouttez les pâtes, puis versez-les dans la sauce. Servez immédiatement saupoudré de parmesan râpé ou agrémenté d'un filet d'huile d'olive vierge extra.

Pour une sauce plus relevée, utilisez seulement la moitié du basilic et une poignée de roquette sauvage grossièrement hachée. Si vous ne trouvez pas de bonnes tomates fraîches, utilisez des tomates oblongues en boîte.

rigatoni au potiron et à la ricotta

Pour **4 personnes**
Préparation **10 minutes**
Cuisson **18 à 23 minutes**

25 g de **beurre doux**
1 petit **oignon** finement
  émincé
20 feuilles de **sauge**
250 g de **potiron**
  ou de courge musquée
  (butternut) épluchée
  et épépinée
400 g de **rigatoni** secs
50 g de **parmesan**
  fraîchement râpé
200 g de **ricotta** émiettée
25 g d'**amandes** effilées
  grillées
sel et **poivre noir**

Faites fondre le beurre à feu doux dans une grande casserole à fond épais. Faites-y revenir l'oignon et la sauge 6 à 8 minutes, en remuant de temps en temps, jusqu'à ce que l'oignon soit tendre.

Découpez la citrouille ou la courge en dés de 1 cm, versez dans la casserole, salez et poivrez. Faites cuire 12 à 15 minutes jusqu'à ce que la citrouille soit bien tendre.

Pendant ce temps, faites cuire les pâtes dans une grande casserole d'eau bouillante salée, en suivant les instructions de l'emballage jusqu'à ce qu'elles soient *al dente*. Égouttez.

Versez les pâtes dans la sauce avec le parmesan et la ricotta, mélangez. Servez les pâtes immédiatement, saupoudrées d'amandes effilées.

Pour une touche finale croustillante, remplacez les amandes par 25 g de biscuits amaretti émiettés.

pesto tomates pignons roquette

Pour **4 à 6 personnes**
Préparation **10 minutes**
Cuisson **10 à 12 minutes**

400 à 600 g de **pâtes
sèches torsadées,**
type fusilli
3 **tomates** mûres
4 gousses d'**ail** épluchées
50 g de feuilles de **roquette**
+ quelques-unes
pour décorer
100 g de **pignons de pin**
150 ml d'**huile d'olive**
sel et **poivre noir**

Faites cuire les pâtes dans une grande casserole
d'eau bouillante salée, en suivant les instructions
de l'emballage jusqu'à ce qu'elles soient *al dente*.

Pendant ce temps, hachez finement à la main
les tomates, les gousses d'ail, la roquette
et les pignons, puis versez l'huile d'olive.
Salez et poivrez. Transvasez dans un saladier.

Égouttez les pâtes, versez-les dans le saladier
et remuez bien. Servez immédiatement, agrémenté
de quelques feuilles de basilic.

Pour un pesto plus lisse, mettez les tomates, l'ail,
la roquette, les pignons et l'huile dans un robot
et mixez bien. Pour conserver votre pesto pour
plus tard, versez-le dans un bocal, versez une couche
d'huile d'olive à la surface, et conservez au frais
jusqu'à utilisation.

cassolette de pâtes épinards ricotta

Pour **4 personnes**
Préparation **20 minutes**
Cuisson **30 minutes**

250 g de **conchiglie rigate**
  sèches
400 g de **ricotta**
1 petite gousse d'**ail**
  écrasée
125 g de **parmesan**
  fraîchement râpé
20 g de **basilic** finement
  haché
125 g de pousses
  d'**épinards** grossièrement
  hachés
1 mesure de **sauce tomate
  éclair** (voir p. 136)
150 g de **mozzarella**
  coupées en dés
sel et **poivre noir**

Faites cuire les pâtes dans une grande casserole
d'eau bouillante salée, en suivant les instructions
de l'emballage jusqu'à ce qu'elles soient *al dente*.
Égouttez, passez sous l'eau froide, puis égouttez
à nouveau.

Pendant ce temps, préparez la garniture. Mettez
la ricotta dans un grand saladier et écrasez-la
à la fourchette. Ajoutez l'ail, la moitié du parmesan,
le basilic et les épinards. Salez et poivrez
généreusement et fourrez les pâtes avec
cette préparation.

Étalez un quart de la sauce tomate au fond d'un plat
allant au four et disposez-y les pâtes, côté ouvert
dessus de préférence. Répartissez de manière
homogène le reste de la sauce par-dessus, puis
saupoudrez de mozzarella et du reste du parmesan.

Faites cuire au four préchauffé à 200 °C pendant
20 minutes.

Pour une cassolette à la béchamel, utilisez
de la sauce béchamel (voir la recette des cannelloni
de printemps, p. 202) à la place de la sauce
tomate. Faites cuire comme indiqué ci-dessus.

cannelloni de printemps

Pour **4 personnes**
Préparation **30 minutes**
Cuisson **30 à 40 minutes**

500 ml de **lait**
1 feuille de **laurier**
1 petit **oignon** coupé
  en quartiers
125 g de **fèves** écossées,
  fraîches ou surgelées
125 g de **petits pois**
  écossés, frais ou surgelés
20 g de **menthe** ciselée
20 g de **basilic** haché
1 gousse d'**ail** écrasée
300 g de **ricotta**
75 g de **parmesan**
  + un peu pour saupoudrer
40 g de **beurre**
30 g de **farine**
75 ml de **vin blanc sec**
150 g de **feuilles de
  lasagnes** sèches
sel et **poivre noir**

Portez le lait à petits bouillons dans une casserole avec le laurier et l'oignon. Laissez infuser 20 minutes hors du feu. Filtrez.

Faites cuire les fèves et les petits pois dans de l'eau bouillante : 6 à 8 minutes pour des légumes frais, ou 2 minutes pour des surgelés. Égouttez et passez sous l'eau froide. Mixez-en la moitié avec les herbes et l'ail pour obtenir une purée grossière. Ajoutez la ricotta, le parmesan et le reste des légumes. Salez et poivrez.

Faites fondre le beurre à feu très doux dans une casserole. Ajoutez la farine et laissez cuire 2 minutes en remuant. Retirez du feu et ajoutez le lait infusé, en fouettant pour éliminer les grumeaux au fur et à mesure. Remettez sur le feu, faites frémir en remuant et versez le vin blanc. Laissez mijoter 5 à 6 minutes jusqu'à épaississement. Salez et poivrez.

Faites cuire les pâtes *al dente* dans une grande casserole d'eau bouillante salée. Égouttez, passez sous l'eau froide, puis coupez-les en 16 morceaux de 8 x 9 cm.

Étalez 1/2 cuillérée à soupe de garniture sur chaque morceau de pâte et roulez. Étalez la moitié de la sauce dans un plat allant au four et recouvrez avec les rouleaux en une seule couche. Versez le reste de la sauce. Saupoudrez de parmesan. Faites cuire 15 minutes au four préchauffé à 200 °C.

Pour varier les fromages, remplacez le parmesan par 75 g de pecorino.

spaghettis bolognaise de légumes

Pour **2 personnes**
Préparation **15 minutes**
Cuisson **35 à 45 minutes**

1 c. à s. d'**huile végétale**
1 **oignon** finement émincé
1 gousse d'**ail** finement
haché
1 branche de **céleri**
finement coupée
1 **carotte** finement coupée
75 g de **champignons
de Paris** grossièrement
hachés
1 c. à s. de **concentré
de tomates**
400 g de **dés de tomates**
en boîte
250 ml de **vin rouge** ou
de bouillon de légumes
1 pincée d'**herbes
aromatiques** sèches
1 c. à c. d'**extrait de levure**
150 g de **protéines
végétales texturées**
2 c. à s. de **persil** haché
200 g de **spaghettis** au blé
complet
sel et **poivre noir**
parmesan fraîchement râpé
pour servir

Faites chauffer l'huile à feu moyen dans une grande casserole à fond épais. Ajoutez l'oignon, l'ail, le céleri, la carotte et les champignons et faites revenir 5 minutes, en remuant fréquemment. Ajoutez le concentré de tomates et faites cuire 1 minute de plus en remuant.

Ajoutez les tomates, le vin ou le bouillon, les herbes, l'extrait de levure et les protéines végétales texturées. Portez à ébullition, puis réduisez le feu, couvrez et laissez mijoter 30 à 40 minutes. Versez le persil, salez et poivrez.

Pendant ce temps, faites cuire les pâtes dans une grande casserole d'eau bouillante salée, en suivant les instructions de l'emballage jusqu'à ce qu'elles soient *al dente*. Égouttez soigneusement, puis répartissez les pâtes dans 2 assiettes de service. Recouvrez avec le mélange de légumes et servez immédiatement saupoudré de parmesan râpé.

Pour un plat à base de lentilles, remplacez les protéines végétales texturées par 150 g de lentilles vertes en boîte. Rincez-les avant utilisation. Si vous utilisez des lentilles sèches, laissez-les tremper et faites-les cuire en suivant les instructions de l'emballage.

garganelli cavolo nero à la crème

Pour **4 personnes**
Préparation **10 minutes**
Cuisson **16 à 18 minutes**

500 g de **cavolo nero**
(chou rouge italien)
3 c. à s. d'**huile d'olive**
2 gousses d'**ail** finement
hachées
1 **piment rouge** sec
finement émincé
400 g de **garganelli**
ou de **fusilli** secs
300 ml de **crème fraîche**
épaisse
50 g de **pecorino**
fraîchement râpé
+ un peu pour servir
sel

Parez le cavolo nero, en retirant les côtes dures au centre, puis hachez-le grossièrement.

Faites chauffer l'huile d'olive à feu moyen dans une grande poêle, faites revenir l'ail et le piment, en remuant, jusqu'à ce que l'ail commence à colorer. Versez le cavolo nero et salez. Faites cuire à feu vif pendant 2 à 3 minutes en remuant jusqu'à ce que le chou soit tendre.

Faites cuire les pâtes dans une grande casserole d'eau bouillante salée, en suivant les instructions de l'emballage jusqu'à ce qu'elles soient *al dente*. Égouttez en réservant une louche de l'eau de cuisson.

Pendant ce temps, versez la crème sur le chou, et portez à ébullition. Réduisez le feu et laissez mijoter 5 minutes jusqu'à ce que la crème ait épaissi de manière à enrober le chou de sauce onctueuse. Ajoutez le pecorino et les pâtes, et remuez sur feu doux pendant 30 secondes. Versez l'eau de cuisson des pâtes et continuez à remuer jusqu'à ce que les pâtes soient bien enrobées de sauce. Servez immédiatement parsemé de pecorino râpé.

Pour une variante non végétarienne, faites cuire environ 150 g de pancetta coupée en dés dans l'huile avant d'ajouter l'ail et le piment. Une fois la viande dorée, suivez le fil de la recette.

pâtes primavera

Pour **4 personnes**
Préparation **15 minutes**
Cuisson **10 à 12 minutes**

300 g de **tagliatelles**
 sèches
2 c. à s. d'**huile d'olive**
1 gousse d'**ail** écrasée
2 **échalotes** hachées
125 g de **petits pois**
 frais écossés
125 g de jeunes **fèves**
 fraîches écossées
125 g d'**asperges** parées
125 g d'**épinards** coupés
150 ml de **crème liquide**
75 g de **parmesan**
 fraîchement râpé
1 poignée de feuilles
 de **menthe** ciselée
sel et **poivre noir**

Faites cuire les pâtes dans une grande casserole
d'eau bouillante salée, en suivant les instructions
de l'emballage jusqu'à ce qu'elles soient *al dente*.

Pendant ce temps, faites chauffer l'huile à feu moyen
dans une casserole, faites revenir l'ail et les échalotes,
et faites cuire 3 minutes en remuant. Ajoutez
les petits pois, les fèves, les asperges, les épinards
et laissez cuire 2 minutes en remuant. Versez la crème
dans les légumes et laissez mijoter 3 minutes.

Égouttez complètement les pâtes, puis ajoutez-les à
la sauce aux légumes, salez et poivrez généreusement.
Ajoutez le parmesan et la menthe, remuez bien
à l'aide de deux cuillères. Servez immédiatement.

Essayez cette recette avec d'autres légumes :
remplacez les ingrédients par des légumes frais
de saison. Par exemple, des pois gourmands
au lieu des petits pois ordinaires, et des rondelles
de carottes nouvelles à la place des fèves.

frittata de spaghettis aux courgettes

Pour **4 personnes**
Préparation **10 minutes**
Cuisson **25 minutes**

2 c. à s. d'**huile d'olive**
1 **oignon** finement émincé
2 **courgettes** coupées
   en fines rondelles
1 gousse d'**ail** écrasée
4 **œufs**
125 g de **spaghettis** cuits
4 c. à s. de **parmesan**
   fraîchement râpé
10 feuilles de **basilic**
   déchirées
sel et **poivre noir**

Faites chauffer l'huile d'olive à feu doux dans une poêle à fond épais de 23 cm de diamètre antiadhésive et passant au four. Faites revenir l'oignon, en remuant de temps en temps, pendant 6 à 8 minutes jusqu'à ce que les oignons soient tendres. Ajoutez les courgettes et l'ail et poursuivez la cuisson 2 minutes en remuant.

Battez les œufs dans un saladier, salez et poivrez. Ajoutez les légumes, les spaghettis et la moitié du parmesan et du basilic. Versez le mélange dans la poêle et répartissez rapidement les ingrédients de façon homogène. Faites cuire à feu doux 8 à 10 minutes, jusqu'à ce que toute la frittata soit prise, sauf la surface.

Dans un four très chaud, placez la frittata sous le gril, à 10 cm. Laissez cuire jusqu'à ce que la surface soit prise, mais pas colorée.

Secouez la poêle pour détacher la frittata et faites-la glisser sur une assiette. Parsemez de parmesan et des feuilles de basilic, et laissez refroidir 5 minutes avant de servir.

Goutez une frittata un peu différente
en remplaçant les courgettes par 300 g de restes de légumes cuits (épinards, petits pois ou brocolis hachés). Servez la frittata avec une salade verte.

lasagnes champignons épinards

Pour **4 personnes**
Préparation **15 minutes**
Cuisson **12 minutes**

3 c. à s. d'**huile d'olive**
   vierge extra
   + un filet pour le plat
500 g de **champignons**
   mélangés émincés
200 g de **mascarpone**
12 **feuilles de lasagnes**
   fraîches du commerce
150 g de **taleggio** sans
   la croûte et coupé en dés
125 g de pousses
   d'**épinards**
sel et **poivre noir**

Faites chauffer l'huile d'olive dans une grande poêle à feu moyen, puis faites-y revenir les champignons 5 minutes, en remuant. Ajoutez le mascarpone et faites chauffer 1 minute à feu vif pour que le mélange épaississe. Salez et poivrez.

Pendant ce temps, disposez les feuilles de lasagnes dans une grande lèchefrite et recouvrez-les d'eau bouillante. Laissez gonfler 5 minutes. Égouttez.

Huilez légèrement un plat allant au four et tapissez le fond de 3 feuilles de pâte, et les faisant se chevaucher un peu. Recouvrez d'un peu de taleggio, d'un tiers de la sauce aux champignons et d'un tiers des épinards. Répétez l'opération deux fois puis recouvrez la dernière couche de pâte du restant du taleggio.

Placez sous le gril chaud et laissez gratiner 5 minutes, jusqu'à ce que le fromage soit bien doré.
Servez aussitôt.

Pour varier les plaisirs, utilisez différentes sortes de champignons, selon la saison. Les shiitakes, par exemple, apporteront au plat une délicieuse note boisée.

spaghettis aux saveurs thaïes

Pour **2 personnes**
Préparation **10 minutes**
Cuisson **11 à 13 minutes**

200 g de **spaghettis** secs
3 c. à s. d'**huile végétale**
2 c. à c. d'**huile de sésame**
2 gousses d'**ail** émincées
1 c. à c. de **gingembre** frais râpé
2 **piments oiseaux** rouges frais, épépinés et finement hachés
le **jus** et le **zeste** finement râpé de 2 **citrons verts**
1 bouquet de **coriandre** fraîche hachée
1 poignée de feuilles de **basilic thaï** ou de basilic ordinaire
sel et **poivre noir**

Faites cuire les pâtes dans une grande casserole d'eau bouillante salée en suivant les instructions de l'emballage jusqu'à ce qu'elles soient *al dente*. Égouttez, réservez 4 cuillerées à soupe d'eau de cuisson et remettez les pâtes dans la casserole.

Pendant ce temps, faites chauffer ensemble les deux huiles dans une poêle à feu moyen, ajoutez l'ail, le gingembre, les piments et le zeste des citrons. Faites revenir 30 secondes en remuant, jusqu'à ce que l'ail commence à libérer son arôme. Ajoutez l'eau de cuisson réservée, mélangez et portez à ébullition.

Versez dans la poêle les pâtes, les herbes et le jus de citron, et remuez sur le feu quelques secondes, pour bien réchauffer le tout. Salez, poivrez, et servez aussitôt.

Si vous aimez les fruits de mer, vous pouvez ajouter 200 g de grosses crevettes crues décortiquées dans le mélange d'huiles chaudes, et les faire cuire 2 minutes jusqu'à ce qu'elles soient roses avant d'ajouter l'ail puis les autres ingrédients.

pâtes maison

gnocchis à la pomme de terre

Pour **4 à 6 personnes**
Préparation **30 minutes**
+ temps de repos
Cuisson **30 minutes**

1 kg de **pommes de terre**
farineuses non épluchées
1/4 de **noix de muscade**
fraîchement râpée
150 à 300 g de **farine**
ordinaire + un peu
pour fariner
2 **œufs**
sel et **poivre noir**

Dans une casserole, recouvrez les pommes de terre d'eau froide. Portez à ébullition à couvert. Baissez le feu et laissez cuire 20 minutes. Égouttez.

Pelez les pommes de terre encore chaudes puis passez-les au moulin à légumes pour obtenir une purée légère et lisse. Mettez la purée dans un saladier, ajoutez la noix de muscade et assaisonnez. Versez 150 g de farine tamisée dans la purée, cassez les œufs et travaillez le mélange avec les doigts, jusqu'à obtenir une consistance grumeleuse et friable.

Sur un plan de travail, malaxez la préparation pour en faire une pâte lisse. Ajoutez de la farine si le mélange est trop liquide. Ne travaillez pas trop longtemps, car cela ferait perdre leur légèreté aux gnocchis.

Divisez la pâte en trois, et formez avec chaque pâton un rouleau de l'épaisseur d'un doigt. Coupez des tronçons de 2,5 cm de long avec un couteau bien aiguisé. Disposez les gnocchis sur une plaque de cuisson farinée et laissez-les reposer 10 à 20 minutes.

Portez une grande casserole d'eau salée à ébullition. Plongez-y les gnocchis et laissez cuire 3 à 4 minutes, jusqu'à ce qu'ils remontent à la surface. Retirez-les à l'aide d'une écumoire et égouttez-les. Servez immédiatement avec la sauce de votre choix.

Pour donner du goût à vos gnocchis, ajoutez 50 g de roquette sauvage finement hachée ou des pousses d'épinards à la préparation avant de malaxer.

raviolis roquette pomme de terre

Pour **4 personnes**
Préparation **25 minutes**
Cuisson **1 h 05**

500 g de **pommes de terre**
  farineuses non épluchées
3 c. à s. de **parmesan**
  fraîchement râpé
75 g de **roquette** sauvage
  + un peu pour servir
le **zeste** finement râpé
  de 1 **citron** non traité
125 g de **beurre**
1 bonne pincée de **noix
  de muscade** fraîchement
  râpée
1 mesure de **pâte** préparée
  avec 3 œufs (voir p. 10)
farine italienne 00 ou farine
  ordinaire fine pour fariner
sel et **poivre noir**
copeaux de **parmesan** frais
  pour servir

Piquez les pommes de terre à la fouchette sur toutes les faces. Faites-les cuire sur une plaque de cuisson 1 heure au four préchauffé à 220 °C.

Lorsqu'elles ont assez refroidi, coupez-les en deux et évidez-les dans un saladier. Écrasez avec le parmesan, la roquette, le zeste de citron, la moitié du beurre et la noix de muscade. Salez et poivrez.

Avec la pâte, préparez de longues feuilles (voir p. 11). Déposez sur la moitié de chaque feuille 1 cuillerée à café de farce tous les 5 cm. Humidifiez la moitié vide, et repliez-la sur le côté farci. Pressez entre les boules de farce pour bien sceller. Découpez en carrés ou en ronds à l'aide d'une roulette dentelée ou d'un emporte-pièce. Déposez les raviolis sur une plaque de cuisson farinée et recouvrez d'un torchon propre.

Faites cuire les raviolis *al dente* dans une grande casserole d'eau bouillante salée 2 à 3 minutes. Égouttez en réservant une louche de l'eau de cuisson.

Faites fondre le beurre restant dans une grande poêle à feu doux. Versez les raviolis et l'eau de cuisson réservée et laissez frémir jusqu'à ce que les raviolis soient enrobés de sauce. Servez parsemé de copeaux de parmesan et décoré de feuilles de roquette.

Pour varier les plaisirs, remplacez le zeste de citron et la roquette par 2 cuillerées à café de moutarde et 1 poignée de persil finement haché, ou bien 2 gousses d'ail écrasées et 75 g de cresson.

tortellini au canard

Pour **4 personnes**
Préparation **40 minutes**
Cuisson **1 h 30**

25 g de **beurre doux**
1 c. à s. d'**huile d'olive**
1 petit **oignon** finement
éminçé
2 branches de **céleri**
finement émincées
1 **carotte** finement hachée
200 ml de **vin blanc sec**
le **zeste** finement râpé
et le **jus** de 1 **orange**
2 c. à s. de **thym** haché
250 ml de **dés de tomates**
en boîte
2 **cuisses de canard**
sans la peau, d'environ
175 à 200 g chacune
2 c. à s. de **parmesan**
fraîchement râpé
+ un peu pour servir
2 c. à s. de **miettes de pain
blanc** frais
1 **œuf**
1 mesure de **pâte**
pour 3 œufs (voir p. 10)
farine italienne 00 ou farine
ordinaire fine pour fariner
sel et **poivre noir**
persil plat haché pour servir

Faites fondre le beurre et l'huile d'olive à feu doux dans une grande casserole à fond épais. Ajoutez l'oignon, le céleri et la carotte, et laissez cuire 10 minutes. Versez le vin et faites bouillir 1 minute. Ajoutez le zeste et le jus d'orange, le thym et les tomates. Portez à ébullition.

Salez et poivrez le canard. Placez-le dans la sauce et laissez mijoter 1 h 15, à couvert, jusqu'à ce que la viande se détache de l'os. Transvasez le canard dans un robot pour le hacher finement. Ajoutez à la viande mixée le parmesan, les miettes de pain et l'œuf.

Avec la pâte, préparez de longues feuilles (voir p. 11). Coupez-les en carrés de 8 cm. Déposez au centre de chacun 1 boulette de farce. Humidifiez les bords avec de l'eau, puis pliez le carré en deux de manière à obtenir un triangle. Pressez délicatement mais fermement la pâte, pour bien la sceller tout en chassant les bulles d'air. Rapprochez les deux coins du côté le plus long l'un de l'autre et pressez-les fermement pour les souder. Déposez sur une plaque de cuisson farinée et recouvrez d'un torchon propre.

Faites cuire les tortellini dans une grande casserole d'eau bouillante salée 2 à 3 minutes jusqu'à ce qu'ils soient *al dente*. Pendant ce temps, réchauffez la sauce. Égouttez les pâtes. Servez immédiatement arrosé de sauce et parsemé de parmesan et de persil.

Pour des tortellini à l'agneau ou au poulet,
remplacez le canard par un jarret d'agneau ou 2 cuisses de poulet.

rotolo épinards jambon de Parme

Pour **4 personnes**
Préparation **20 minutes**
Cuisson **35 minutes**

250 g de pousses
  d'**épinards**
250 g de **ricotta**
1 bonne pincée de **noix
  de muscade** fraîchement
  râpée
50 de **parmesan**
  fraîchement râpé
  + un peu pour servir
1 mesure de **pâte** pour
  1 œuf (voir p. 10)
3 tranches de **jambon
  de Parme**
75 g de **beurre** fondu
sel et **poivre noir**

Faites cuire les épinards au micro-ondes. Passez sous l'eau froide. Égouttez bien. Ajoutez la ricotta, la noix de muscade et le parmesan. Salez et poivrez.

Divisez la pâte en deux. Avec chaque pâton, formez une feuille (voir p. 11). Posez les feuilles de pâte sur un torchon humide, en les faisant se chevaucher de façon à obtenir un rectangle recouvrant presque tout le torchon. Humidifiez la jonction entre les deux feuilles et pressez pour les souder.

Répartissez le mélange à la ricotta sur la pâte, en laissant un bord de 1,5 cm à gauche et à droite. Étalez les épinards, puis déposez les tranches de jambon, sur le côté le plus long et le plus proche de vous.

Humidifiez les zones vides, puis roulez la pâte, en soulevant le torchon pour vous aider. Pincez les bordures pour bien fermer. Enveloppez dans le torchon. Avec de la ficelle, ficelez fermement les deux côtés, ainsi qu'en 2 ou 3 endroits sur la longueur.

Faites cuire le rouleau 30 minutes dans un plat à four profond rempli d'eau salée frémissante, en utilisant un couvercle pour maintenir le rouleau immergé.

Sortez de l'eau, ôtez les ficelles et le torchon. Coupez le rouleau en 12 tranches et répartissez sur les assiettes de service. Arrosez d'un filet de beurre fondu et servez saupoudré de parmesan.

Pour plus de piquant, utilisez 250 g de cresson à la place des pousses d'épinards.

raviolis aux champignons des bois

Pour **4 personnes**
Préparation **35 minutes**
Cuisson **10 à 11 minutes**

2 c. à s. d'**huile d'olive**
2 **échalotes** finement
   émincées
250 g de **champignons des
   bois** mélangés, finement
   hachés
25 g d'**olives noires**
   à la grecque dénoyautées
   et finement hachées
4 moitiés de **tomates
   séchées**, égouttées
   et hachées
1 c. à s. de **marsala sec**
noix de muscade
   fraîchement râpée
1 mesure de **pâte**
   pour 2 œufs (voir p. 10),
   avec 4 c. à s. d'estragon,
   de marjolaine et de persil
   hachés
farine italienne 00 ou farine
   ordinaire fine pour fariner
50 g de **beurre** fondu
sel et **poivre noir**
**pousses d'herbes
   aromatiques** pour décorer

Pour servir
copeaux frais de **parmesan**
champignons des bois
   sautés

Faites chauffer l'huile à feu moyen dans une poêle,
faites revenir les échalotes 5 minutes en remuant.
Ajoutez les champignons, les olives et les tomates,
et faites cuire 2 minutes à feu vif, en remuant. Arrosez
avec le marsala et poursuivez la cuisson 1 minute.
Salez, poivrez et ajoutez la noix de muscade.
Transvasez dans un saladier et laissez refroidir.

Avec la pâte, formez de longues feuilles (voir p. 11).
En travaillant une feuille à la fois, déposez 1 cuillerée
à café bien pleine de farce sur la feuille tous les 3,5 cm,
jusqu'à ce que la moitié de la feuille soit remplie.
Humidifiez légèrement la moitié vide, et repliez-la sur
le côté farci. Pressez délicatement mais fermement
la pâte entre les boules de farce, pour bien sceller la
pâte tout en chassant les bulles d'air. Découpez en
carrés ou en ronds en utilisant une roulette dentelée
ou un couteau pointu. Déposez les raviolis sur une
plaque de cuisson farinée et recouvrez d'un torchon.

Faites cuire les raviolis *al dente* dans une grande
casserole d'eau bouillante salée 2 à 3 minutes.
Égouttez soigneusement, remettez dans la casserole
et ajoutez le beurre fondu. Mélangez et répartissez
en 4 assiettes de service. Servez aussitôt saupoudré
de copeaux de parmesan, et garni de champignons
sautés et de pousses d'herbes.

Si vous ne trouvez pas de champignons des bois,
vous pouvez les remplacer par la même quantité
de champignons de Paris.

lasagnes de la mer

Pour **4 personnes**
Préparation **30 minutes**
Cuisson **35 minutes**

2 c. à s. d'**huile d'olive**
  vierge extra + un filet
1 petit **oignon** finement
  émincé
1 bulbe de **fenouil**, paré
  et finement émincé
2 gousses d'**ail** écrasées
200 ml de **vin blanc sec**
250 ml de **dés de tomates**
  en boîte
1 mesure de **pâte**
  pour 1 œuf (voir p. 10)
farine italienne 00 ou farine
  ordinaire fine pour fariner
1 poignée de **persil plat**
250 g de filets de **poisson
  blanc à chair ferme**
  (morue, flétan, lotte…)
250 g de filets de **poisson
  blanc à chair plus
  délicate** (rouget-barbet,
  vivaneau, bar, dorade…)
12 **crevettes** royales crues
  décortiquées
6 feuilles de **basilic**
  déchirées + quelques-unes
  pour décorer
sel et **poivre noir**

Faites chauffer l'huile à feu doux dans une grande casserole à fond épais. Faites revenir l'oignon et le fenouil 8 à 10 minutes. Ajoutez l'ail et remuez 1 minute de plus. Versez le vin et faites bouillir 1 minute à gros bouillons. Ajoutez les tomates, salez et poivrez. Portez à ébullition puis laissez mijoter 20 minutes.

Pendant ce temps, formez avec la pâte de longues feuilles (voir p. 11). Parsemez les feuilles de persil sur la moitié de leur longueur, puis repliez-les en deux. Passez-les dans la plus petite ouverture de la machine à pâtes, puis coupez-les en 12 rectangles. Déposez les rectangles sur un plateau fariné.

Découpez les filets de poissons en tronçons de 3,5 cm. Ajoutez les filets à chair ferme à la sauce et laissez mijoter 1 minute. Ajoutez ensuite les filets à chair délicate ainsi que les crevettes et poursuivez la cuisson 1 minute. Retirez du feu, ajoutez le basilic et couvrez.

Faites cuire les pâtes *al dente*, en plusieurs fois, dans une grande casserole d'eau bouillante salée 2 à 3 minutes. Égouttez et arrosez d'un filet d'huile d'olive.

Disposez une feuille de pâte sur chaque assiette, et recouvrez de la moitié de la sauce. Répétez l'opération en terminant par une feuille de pâte. Servez arrosé d'un filet d'huile d'olive.

Pour une version plus rapide, achetez des feuilles de lasagnes toutes faites, ou servez cette sauce avec des fettuccine ou des linguine.

tagliarini au safran

Pour **4 personnes**
Préparation **30 minutes**
  + refroidissement
Cuisson **12 minutes**

75 g de **beurre**
1 **oignon** finement émincé
100 ml de **vodka**
  ou de **vin blanc sec**
50 g de **parmesan**
  fraîchement râpé

Pour la pâte
0,4 g de pistils de **safran**
2 c. à s. d'**eau** tiède
225 g de **farine italienne 00**
  ou de farine ordinaire fine
  + un peu pour fariner
75 g de **semola di grano
  duro** + un peu pour fariner
2 **œufs** + 1 **jaune d'œuf**

Faites tremper le safran dans l'eau tiède 15 minutes.

Avec les ingrédients indiqués, préparez la pâte
en suivant la méthode de la p. 10. Ajoutez les pistils
de safran et leur eau de trempage dans le puits,
après les œufs et le jaune d'œuf, ou versez-les
dans le robot avec les autres ingrédients. Pétrissez
et laissez reposer au frais comme indiqué.

Avec la pâte, formez de longues feuilles (voir p. 11).
Découpez les feuilles en longueurs de 20 cm.
Passez ces feuilles dans l'accessoire à découper
le plus fin de la machine à pâtes, afin de former
des tagliarini. Déposez-les sur une plaque de cuisson
farinée de semoule et couvrez-les d'un torchon
humide. Laissez reposer 3 heures au maximum.

Faites fondre le beurre à feu doux dans une grande
poêle, ajoutez l'oignon et laissez cuire, en remuant
de temps en temps, pendant 7 à 8 minutes, jusqu'à
ce que l'oignon soit souple et translucide. Chauffez
à feu vif et versez la vodka ou le vin. Faites bouillir
2 minutes à gros bouillons, puis retirez du feu.

Faites cuire les pâtes dans une grande casserole
d'eau bouillante salée 2 à 3 minutes jusqu'à ce qu'elles
soient *al dente*. Égouttez et versez dans la sauce au
beurre. Servez sans attendre saupoudré de parmesan.

Pour les grandes occasions, servez ces pâtes
avec la sauce aux noix Saint-Jacques et à la pancetta
(voir p. 132).

raviolis épinards ricotta

Pour **4 personnes**
Préparation **25 minutes**
Cuisson **2 à 3 minutes**

500 g d'**épinards** surgelés,
  décongelés et bien
  égouttés
175 g de **ricotta**
  ou de faisselle
1/2 c. à c. de **noix**
  de muscade fraîchement
  râpée
1 c. à c. de **sel**
1 mesure de **pâte**
  pour 3 œufs (voir p. 10)
farine italienne 00 ou farine
  ordinaire fine pour fariner
125 g de **beurre** fondu
poivre noir
parmesan fraîchement râpé
  pour servir

Dans un robot, mixez les épinards et la ricotta avec la noix de muscade, le sel et le poivre selon votre goût, jusqu'à l'obtention d'une pâte lisse. Couvrez et réservez au frais pendant que vous préparez les feuilles de pâtes.

Avec la pâte, formez de longues feuilles (voir p. 11). En travaillant une feuille à la fois, déposez 1 cuillerée à café bien pleine de farce sur la feuille tous les 5 cm, jusqu'à ce que la moitié de la feuille soit remplie. Humidifiez légèrement la moitié vide, et repliez-la sur le côté farci. Pressez délicatement mais fermement la pâte entre les boules de farce, pour bien sceller la pâte tout en prenant garde à chasser les bulles d'air. Découpez en carrés en utilisant une roulette dentelée ou un couteau pointu, ou en ronds avec un verre retourné. Déposez les raviolis sur une plaque de cuisson farinée et recouvrez d'un torchon.

Faites cuire les raviolis dans une grande casserole d'eau bouillante salée 2 à 3 minutes jusqu'à ce qu'ils soient *al dente*. Égouttez, remettez dans la casserole et ajoutez le beurre fondu. Mélangez et répartissez dans les 4 assiettes de service. Servez aussitôt saupoudré de parmesan.

Pour ajouter saveur et couleur, faites frire 12 feuilles de sauge dans le beurre fondu pendant 2 minutes.

pâtes au potiron et à la sauge

Pour **4 personnes**
Préparation **30 minutes**
Cuisson **25 minutes**

250 g de chair de **potiron**
  en dés
1 gousse d'**ail** écrasée
2 tiges de **sauge**
2 c. à s. d'**huile d'olive**
  vierge extra
75 g de **ricotta**
25 g de **parmesan**
  fraîchement râpé
  + un peu pour servir
1 mesure de **pâte** à préparer
  pour 2 œufs (voir p. 10)
farine italienne 00 ou farine
  ordinaire fine pour fariner
75 g de **beurre**
2 c. à s de feuilles de **sauge**
  entières
sel et **poivre noir**
jus de citron pour servir

Mettez les dés de potiron dans un petit plat avec l'ail, les tiges de sauge et l'huile d'olive. Salez et poivrez. Couvrez avec du papier d'aluminium et faites rôtir 20 minutes dans un four préchauffé à 200 °C. Transférez dans un bol, écrasez et laissez refroidir.

Une fois la purée de potiron refroidie, incorporez la ricotta et le parmesan, salez et poivrez.

Avec la pâte, formez de longues feuilles fines (voir p. 11). Coupez-les en carrés de 8 cm de côté. Déposez au centre de chacun une boulette de farce. Humidifiez les bords avec de l'eau, puis pliez le carré en deux de manière à obtenir un triangle. Pressez fermement la pâte, pour bien la sceller tout en chassant les bulles d'air. Déposez sur une plaque de cuisson farinée et recouvrez d'un torchon propre.

Faites cuire les pâtes dans une grande casserole d'eau bouillante salée pendant 2 à 3 minutes jusqu'à ce qu'ils soient *al dente*. Pendant ce temps, faites fondre le beurre avec les feuilles de sauge et du poivre jusqu'à ce qu'il commence à prendre une teinte noisette. Égouttez les pâtes et servez-les aussitôt, arrosées du beurre à la sauge, avec un filet de jus de citron et un peu de parmesan râpé.

Pour une consistance plus croquante, saupoudrez les pâtes disposées dans les assiettes de 50 g d'amandes effilées grillées.

annexe

table des recettes

Les nouveautés :

Découvrez toute la collection :

entre amis

À chacun sa
petite cocotte

Apéros

Brunchs et petits
dîners pour toi & moi

Chocolat

Cocktails glamour
& chic

Cupcakes colorés
à croquer

Desserts trop bons

Grillades & Barbecue

Verrines

cuisine du monde

200 bons petits
plats italiens

Curry

Pastillas, couscous,
tajines

Spécial thaï

Wok

tous les jours

200 plats pour changer
du quotidien

200 recettes pour
étudiants

Cuisine du marché à
moins de 5 euros

Les 200 plats
préférés des enfants

Mon pain

Pasta

Pâtisserie facile

Petits gâteaux

Préparer et cuisiner
à l'avance

Recettes faciles

Recettes pour bébé

Risotto et autres façons
de cuisiner le riz

Spécial Débutants

Spécial Poulet

bien-être

5 fruits & légumes
par jour

21 menus minceur
pour perdre du poids

21 menus minceur
pour garder la ligne

200 recettes vitaminées
au mijoteur

Papillotes, la cuisine
vapeur qui a du goût

Petits plats minceur

Poissons & crustacés

Recettes vapeur

Salades

Smoothies et petits jus
frais & sains

Soupes pour tous
les goûts

**SIMPLE
PRATIQUE
BON**

| **POUR CHAQUE RECETTE,
UNE VARIANTE
EST PROPOSÉE.**

MARABOUT
LES PETITS COSTAUDS CÔTÉ CUISINE